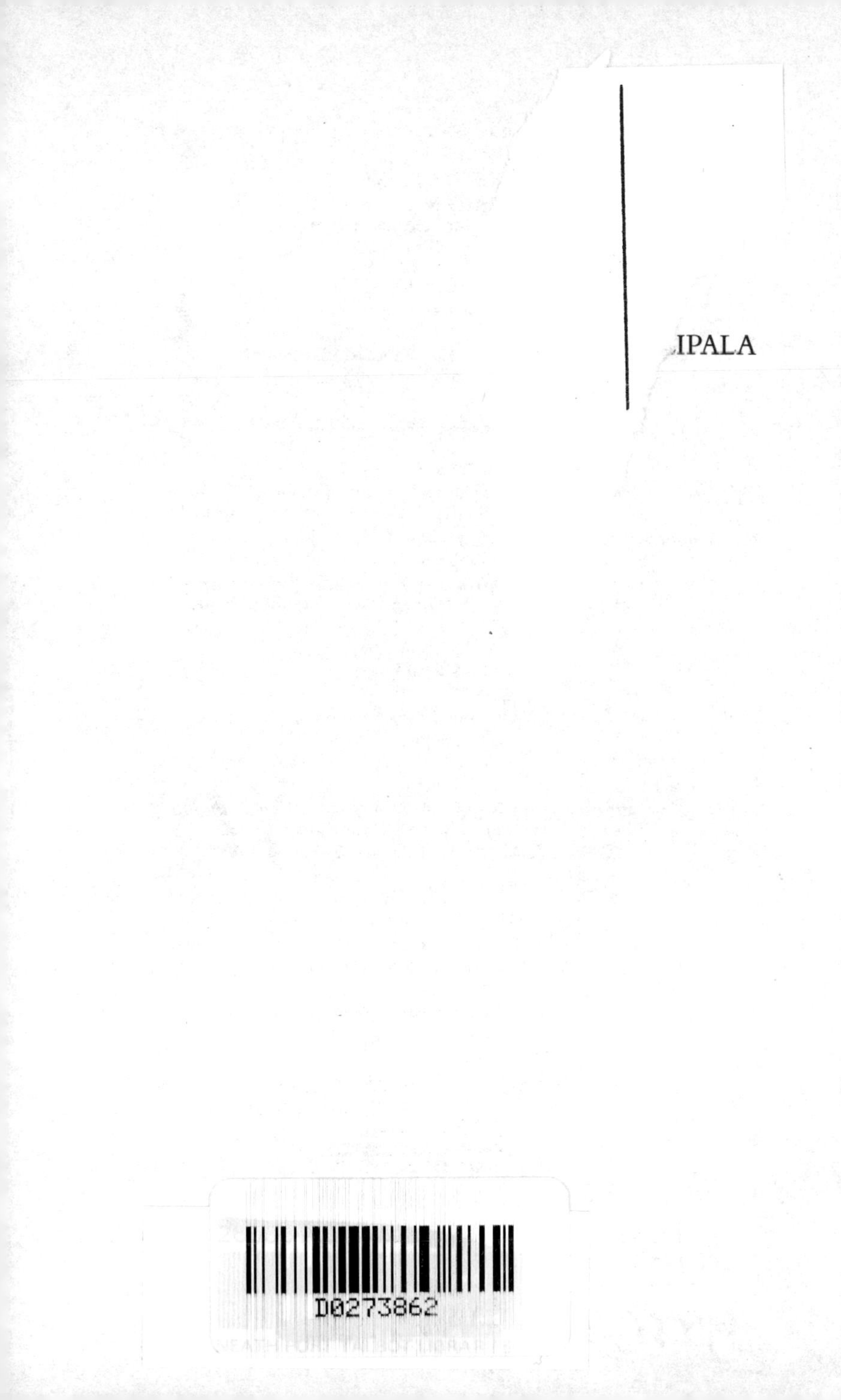
IPALA
D0273862

Nofelau eraill gan Michael Morpurgo gan Wasg Carreg Gwalch:

CEFFYL RHYFEL
LLYGAID MISTAR NEB
ELIFFANT YN YR ARDD

Argraffiad cyntaf: 2014

Rhif rhyngwladol:
978-1-84527-495-5

Cyhoeddwyd gyda chymorth ariannol
Cyngor Llyfrau Cymru

Cyhoeddwyd gyntaf yn Saesneg yn 1996 dan y teitl *The Butterfly Lion*
gan HarperCollins Children's Books,
77–85 Fulham Palace Road, Hammersmith, Llundain W6 8JB.

Cyhoeddwyd gan Wasg Carreg Gwalch,
12 Iard yr Orsaf, Llanrwst, Dyffryn Conwy, Cymru LL26 0EH.
Ffôn: 01492 642031
Ffacs: 01492 641502
e-bost: llyfrau@carreg-gwalch.com
lle ar y we: www.carreg-gwalch.com

Argraffwyd a chyhoeddwyd yng Nghymru

FSC Mixed Sources
Product group from well-managed forests and other controlled sources
www.fsc.org Cert no. SW-COC-1806
© 1996 Forest Stewardship Council

FSC is a non-profit international organisation established to promote the responsible management of the world's forests. Products carrying the FSC label are independently certified to assure consumers that they come from forests that are managed to meet the social, economic and ecological needs of present and future generations.

Find out more about HarperCollins and the environment at
www.harpercollins.co.uk/green

michael morpurgo

Y LLEW PILIPALA

Darluniau gan
CHRISTIAN BIRMINGHAM

Addasiad gan
CASIA WILIAM

I Virginia McKenna

Y Llew Pilipala

Tyfodd stori *Y Llew Pilipala* o nifer o wreiddiau hudol: atgofion bachgen bach a geisiodd redeg i ffwrdd o'r ysgol amser maith yn ôl; llyfr am haid o lewod gwyn a gafodd eu darganfod gan Chris McBride; cyfarfod annisgwyl mewn lifft gyda Virginia McKenna, actores sy'n pledio achos llewod a phob creadur sydd wedi'i eni'n rhydd; stori wir am filwr yn y Rhyfel Byd Cyntaf wnaeth achub anifeiliaid syrcas yn Ffrainc rhag cael eu lladd; a cheffyl gwyn wedi'i gerfio o sialc ar ochr bryn ger Westbury yn Wiltshire a welwyd o ffenest trên.

Diolch o galon i Chris McBride, Virginia McKenna a Gina Pollinger. Ac i ti, y darllenydd – mwynha!

MICHAEL MORPURGO

Chwefror 1996

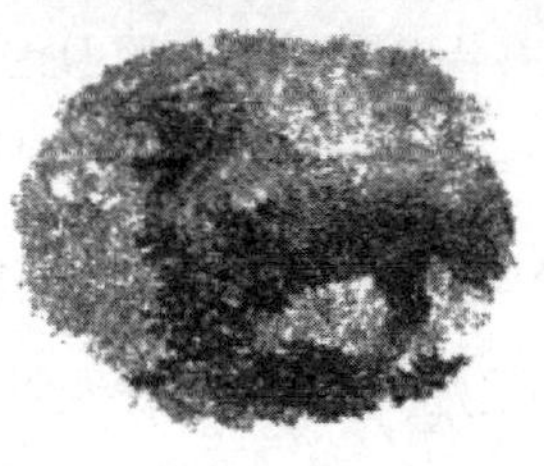

Llosg Eira a Phwdin Semolina

Bywyd byr sydd gan bilipala. Mae'n blaguro, yn curo'i adenydd lliwgar am ambell wythnos hyfryd, ac wedyn yn marw. Mae'n rhaid i ti fod yn y lle iawn ar yr amser iawn i weld pilipalod. Dyna'n union ddigwyddodd pan welais i'r llew pilipala – ro'n i'n digwydd bod yn y lle iawn ar yr amser iawn. Nid breuddwyd mohoni. Roedd y cwbl yn wir. Mi welais i o'n disgleirio'n las yn yr haul, un diwrnod braf ym mis Mehefin pan o'n i'n ifanc. Amser maith yn ôl. A wna i ddim anghofio. Fiw i mi anghofio. Mi wnes i addo y byddwn i'n cofio am byth.

Deg oed o'n i, ac mewn ysgol breswyl yn Wiltshire, Lloegr. Ro'n i'n bell o gartref a do'n i ddim isio bod yno o gwbl. Roedd fy mywyd yn un gybolfa o wersi Lladin, stiw, gemau rygbi, rhedeg traws gwlad, llosg eira, profion, cael fy nghadw i mewn amser chwarae, gwely gwichlyd a phwdin semolina. Heb anghofio Beaumont Brwnt – hen fwli oedd yn fy herio ac yn tynnu arna i bob munud, nes bod gen i ofn am fy mywyd. Ro'n i wedi meddwl am redeg i ffwrdd sawl gwaith, ond dim ond unwaith fues i'n ddigon dewr i wneud go iawn.

Roedd gen i hiraeth am fy nghartre ar ôl cael llythyr gan Mam. Roedd Beaumont Brwnt wedi fy nghornelu i yn y stafell sgidiau ac wedi rhwbio polish du i mewn i 'ngwallt i. Ro'n i wedi cael marc gwael mewn prawf sillafu ac roedd Mr Carter wedi fy anfon i sefyll yng nghornel y stafell efo llyfr ar fy mhen am wers gyfan – honno oedd ei hoff gosb. Ro'n i'n fwy digalon nag erioed, ac wrth blicio'r paent oddi ar wal y stafell, penderfynais yn y fan a'r lle fy mod i'n mynd i redeg i ffwrdd.

A'r dydd Sul canlynol i ffwrdd â fi. Efo unrhyw lwc, fyddai neb yn sylwi mod i wedi mynd tan amser swper, ac erbyn hynny mi fyddwn i gartre'n saff. Dringais dros y ffens y tu ôl i'r coed ar waelod parc yr ysgol, i wneud yn siŵr nad oedd neb yn fy ngweld. I ffwrdd â fi fel y gwynt. Ro'n i'n rhedeg fel petai 'na fleiddiaid llwglyd yn rhedeg ar fy ôl, a wnes i ddim stopio tan mod i wedi pasio Bwlch Clawdd a chyrraedd y ffordd fawr yr ochr arall. Ro'n i'n bwriadu cerdded i'r orsaf – dim ond tua phum milltir o daith oedd hi – cyn dal trên i Lundain. Wedyn mi fyddwn i'n dal trên tanddaear yr holl ffordd gartref. Ar ôl cyrraedd mi fyddwn i'n agor y drws, yn cerdded i mewn, ac yn dweud mod i byth, byth yn mynd yn ôl i'r ysgol.

Doedd dim llawer o draffig ar y ffordd, ond mi godais goler fy nghôt law 'run fath, rhag

ofn i rywun weld fy ngwisg ysgol. Erbyn hyn roedd hi'n dechrau bwrw glaw – diferion trwm, oedd yn addo mwy o law. Croesais y ffordd, a rhedeg ar hyd llwybr llydan o wair dan gysgod y coed. Tu hwnt i'r gwair roedd wal frics uchel wedi'i gorchuddio gan eiddew trwchus. Roedd y wal yn ymestyn fel neidr hir, mor bell ag y gallwn weld, heblaw am un fynedfa anferthol wrth y tro yn y ffordd. Safai llew carreg enfawr wrth y fynedfa. Gallwn weld ei fod o'n rhuo yn y glaw, ei wefus yn cyrlio a'i ddannedd yn fflachio. Arhosais i syllu ar y llew am eiliad. Dyna pryd y clywais i sŵn car yn arafu y tu ôl i mi. Heb feddwl ddwywaith, gwthiais y giât haearn, rhuthro drwyddi, a sefyll â 'nghefn yn erbyn y golofn garreg. Gwyliais y car tan iddo ddiflannu heibio'r tro.

Taswn i'n cael fy nal, mi faswn i'n cael fy nghuro â'r gansen, bedair neu chwe gwaith tu ôl i 'mhengliniau. Ac yn waeth na hynny, mi fyddwn i'n gorfod mynd yn ôl i'r ysgol, cael fy nghadw i mewn bob amser chwarae ac amser cinio, a mynd yn ôl at Beaumont Brwnt. Roedd cerdded ar hyd y ffordd yn beryglus, yn rhy beryglus. Penderfynais fynd ar draws gwlad i gyrraedd yr orsaf. Byddai'r ffordd yn hirach, ond yn llawer saffach.

Y Llais Dieithr a'r Llew

Ro'n i'n dal i drio penderfynu pa ffordd i fynd pan glywais i'r llais y tu ôl i mi.

'Pwy wyt ti? Beth wyt ti'n ei wneud fan hyn?'

Troais i weld pwy oedd perchennog y llais.

'Pwy wyt ti?' gofynnodd eto. Roedd hen wraig, oedd tua'r un taldra â fi, yn sefyll o 'mlaen i ac yn craffu arna i o dan gysgod ei het wellt. Roedd ei llygaid tywyll, treiddgar yn fy ngwneud i'n anesmwyth.

'Doeddwn i ddim yn disgwyl iddi fwrw glaw,' meddai hi wedyn, â llais mwynach y tro hwn. 'Wyt ti ar goll?'

Ddywedais i 'run gair. Roedd ci mawr iawn wrth ei hochr, yn gwneud sŵn chwyrnu milain yn ei wddw, ac roedd blew ei gefn yn sefyll yn syth fel milwyr yn barod i ymosod. Gwenodd yr hen wraig. 'Mae'r ci yn dweud dy fod ti ar dir preifat,' meddai, gan bwyntio'i ffon ata i'n gyhuddgar. Cododd waelod fy nghôt law fymryn â blaen ei ffon.

'Wedi rhedeg i ffwrdd o'r ysgol wyt ti, ie? Wel, os ydi'r ysgol yna 'run fath ag yr oedd hi'n arfer bod, wela i ddim bai arnat ti. Ond fedri di ddim loetran yn fan hyn yn y glaw, na fedri? Mae'n well i ti ddod i mewn. Rown ni fymryn o de iddo, ie, Jac? Paid â phoeni am Jac. Mae'n coethi a chyfarth ond byth yn brathu.' Wrth edrych ar Jac, do'n i ddim yn siŵr a allwn i gredu hynny.

Dwi ddim yn gwybod pam, ond wnes i ddim meddwl rhedeg oddi yno. Dwi wedi meddwl sawl tro ers hynny tybed pam oeddwn i mor barod i fynd efo hi. Am ei bod hi'n disgwyl i mi wneud, efallai – yn mynnu, rywsut, fy mod yn mynd. Dilynais yr hen wraig a'i chi at y tŷ – tŷ anferthol, oedd bron

iawn mor fawr â'r ysgol. Roedd o'n edrych fel petai o wedi tyfu o'r ddaear.

Prin fod bricsen, carreg na llechen i'w gweld. Roedd yr holl adeilad wedi'i fygu gan ddail coch, ac roedd dwsin o simneiau, a'r rheiny'n eiddew i gyd, yn ymestyn o'r to tua'r awyr.

Eisteddodd y ddau ohonon ni i lawr wrth y popty mewn cegin fawr â nenfwd uchel. 'Y gegin ydi'r lle cynhesaf bob amser,' meddai'r hen wraig, gan agor drws y popty. 'Mi fyddi di wedi sychu mewn dim o dro. Gymeri di sgonsen?' gofynnodd, gan blygu'n drafferthus ac estyn i mewn i'r popty. 'Mi fydda i wastad yn gwneud sgons ar ddydd Sul. A phaned efo nhw. Beth amdani?' Roedd hi'n dal i glebran wrth drin y tegell a'r tebot. Syllai'r ci arna i drwy'r amser.

'Meddwl o'n i rŵan,' meddai'r wraig. 'Ti ydi'r bachgen cyntaf i fod yn y tŷ yma ers Byrti.' Aeth hi'n dawel ar ôl dweud hynny.

Roedd arogl hyfryd y sgons yn llenwi'r

gegin. Ro'n i wedi llowcio tair cyn i mi gyffwrdd â 'mhaned. Roedden nhw'n felys ac yn friwsionllyd, ac yn fendigedig efo menyn wedi toddi arnyn nhw. Dechreuodd siarad eto, efo fi neu efo'r ci – do'n i ddim yn siŵr p'run. Do'n i ddim yn gwrando'n iawn, a dweud y gwir. Ro'n i'n edrych drwy'r ffenest y tu ôl iddi. Roedd yr haul yn llifo drwy'r cymylau ac yn goleuo'r bryn, ac roedd enfys berffaith yn crymanu yn yr awyr. Ond er mor brydferth oedd hi, nid yr enfys oedd yn tynnu fy sylw. Rywsut, roedd y cymylau'n taflu cysgod rhyfedd ar y bryn – cysgod siâp llew yn rhuo, yn union fel yr un wrth fynedfa'r tŷ.

'Mae'r haul wedi dod allan,' meddai'r hen wraig, gan gynnig sgonsen arall i mi. Fe'i cymerais yn awchus. 'Mae'r haul wastad yn dod allan. Efallai ei bod hi'n anodd cofio hynny weithiau, ond mae 'na haul y tu ôl i bob cwmwl, ac mae'r cymylau'n cilio yn y diwedd. Wir i ti.'

Gwenodd o glust i glust wrth edrych arna i'n bwyta. Roedd ei gwên yn fy nghynhesu hyd at fêr fy esgyrn.

'Paid â meddwl mod i isio i ti fynd, oherwydd dydw i ddim. Mae'n bleser gweld hogyn yn bwyta cystal, ac mae'n braf cael cwmni, ond mae'n siŵr y byddai'n well i mi fynd â ti'n ôl i'r ysgol ar ôl i ti yfed dy de, yn byddai? Neu byddi di mewn trwbl. Ddylet ti ddim rhedeg i ffwrdd, wyddost ti. Mae'n rhaid i ti ddal ati, a gwneud beth sydd raid i ti ei wneud, er gwaetha popeth.' Edrychai allan drwy'r ffenest wrth siarad. 'Mi ddysgodd Byrti hynna i mi, chwarae teg iddo, neu efallai mai fi ddysgodd hynna iddo fo. Fedra i ddim cofio'n iawn erbyn hyn.' Ac aeth yn ei blaen i siarad a siarad, ond roedd fy meddwl i wedi crwydro eto.

Roedd y llew ar y bryn yn dal yno, ond erbyn hyn roedd yn las ac yn disgleirio yng ngolau'r haul. Roedd fel petai'n anadlu, fel petai'n fyw. Nid cysgod oedd o erbyn hyn. Does dim ffasiwn beth â chysgod glas.

'Na, dwyt ti ddim yn dychmygu,'

sibrydodd yr hen wraig. 'Dim hud a lledrith ydi o chwaith, mae o yno go iawn. Ein llew ni ydi o, un Byrti a minnau. Ein llew pilipala ni.'

'Be dach chi'n feddwl?' gofynnais. Craffodd arna i am amser hir cyn ateb. 'Mi ddyweda i wrthat ti os hoffi di,' meddai. 'Hoffet ti gael gwybod go iawn?' Nodiais fy mhen.

'Beth am i ti gael sgonsen a phaned arall o de yn gyntaf? Wedyn mi a' i â ti i Affrica, sef cartre ein llew ni, a chartre Byrti hefyd. Mae hi'n dipyn o stori, coelia di fi. Wyt ti wedi bod yn Affrica erioed?'

'Naddo,' atebais.

'Wel, fe gei di fynd yno,' meddai hi. 'Rydan ni'n dau'n mynd yno.'

Mwya sydyn do'n i ddim yn llwglyd. Y cwbl ro'n i isio erbyn hyn oedd cael clywed ei stori. Eisteddodd yn ôl yn ei chadair gan edrych drwy'r ffenest. Adroddodd y stori yn araf bach, gan ddewis pob gair yn ofalus, ac roedd ei llygaid ar y llew pilipala drwy'r holl amser. A'm rhai innau hefyd.

Timbavati

Ganwyd Byrti yn Ne Affrica, mewn ffermdy anghysbell wrth ymyl lle o'r enw Timbavati. Yn fuan ar ôl i Byrti ddechrau cerdded penderfynodd ei rieni y byddai'n rhaid gosod ffens o amgylch y ffermdy i wneud clos lle byddai Byrti'n gallu chwarae'n ddiogel. Fyddai ffens ddim yn cadw'r nadroedd allan – allai dim byd wneud hynny – ond o leiaf mi fyddai Byrti yn ddiogel rhag pob llewpard, llew ac udflaidd smotiog. Roedd y gerddi o flaen y ffermdy a'r tu ôl iddo o fewn ffiniau'r clos, yn ogystal â'r stablau a'r tai gwair yn y cefn hefyd – hen ddigon o le i unrhyw blentyn. Ond nid Byrti.

Roedd tir y fferm yn ymestyn yn bell i bob

cyfeiriad, yn ugain mil acer o laswelltir. Cadwai tad Byrti wartheg, ond roedd bywyd yn galed. Cafwyd llawer gormod o dymhorau sych, ac roedd nifer o'r afonydd a'r ffynhonnau bron â sychu'n grimp. Gan fod llai o gnŵod ac impalaod i'w bwyta, byddai'r llewod a'r llewpartiaid yn hela'r gwartheg bob cyfle. Felly roedd tad Byrti yn treulio llawer o'i amser allan gyda'i ddynion yn gwarchod y gwartheg.

Wrth iddo adael mi fyddai wastad yn dweud wrth Byrti:

'Paid byth ag agor y giât yna, Byrti, wyt ti'n clywed? Mae yna lewod, llewpartiaid, eliffantod ac udfleiddiaid allan yna. Aros di lle rwyt ti, wyt ti'n clywed?'

Safai Byrti wrth y ffens yn gwylio'i dad yn diflannu i'r pellter, gan ei adael ar ôl gyda'i fam, oedd hefyd yn athrawes arno.

Doedd dim ysgolion o fewn can milltir. Ac roedd ei fam wastad yn ei rybuddio i aros y tu mewn i'r ffens.

'Cofia be ddigwyddodd yn *Pedr a'r Blaidd*,'

fyddai geiriau ei fam o hyd.

Roedd malaria yn aml yn gwneud ei fam yn sâl, a hyd yn oed pan nad oedd hi'n sâl doedd ganddi ddim egni a byddai'n teimlo'n drist. Roedd hi'n cael ambell ddiwrnod da pan fyddai hi'n chwarae'r piano iddo ac yn chwarae cuddio yn y clos. Neu mi fyddai Byrti yn eistedd ar ei glin yn y gadair freichiau ar y feranda. Byddai hi'n siarad a siarad am ei chartref yn Lloegr, ac am y ffaith ei bod hi'n casáu anialwch ac unigrwydd Affrica, ac yn dweud wrth Byrti mai fo oedd ei byd hi.

Ond dyddiau prin oedd y rheini. Bob bore byddai Byrti'n dringo i'w gwely hi ac yn swatio wrth ei hymyl gan obeithio â'i holl galon y byddai hi'n iach ac yn hapus heddiw, ond yn aml iawn doedd hi ddim, a byddai Byrti'n treulio'r dyddiau hynny ar ei ben ei hun.

Ychydig bellter o'r ffermdy, i lawr yr allt, roedd ffynnon. Pan fyddai dŵr ynddi, y lle hwn oedd byd Byrti. Byddai'n treulio oriau ar y clos llychlyd, ei ddwylo'n gafael yn dynn yn y ffens, yn edrych allan ar ryfeddodau'r glaswelltir, ar y jiráffs, â'u coesau ar led, yn

yfed o'r ffynnon; ar yr impalaod yn pori, eu cynffonnau'n chwipio, a phob synnwyr yn effro; ar y baedd ysgithrog yn chwyrnu ac yn snwffian o dan gysgod y coed *shingayi*, ar y babŵns, y sebras y gnŵod, ac ar yr eliffantod yn cael bath yn y mwd.

Ond roedd Byrti wastad yn ysu am yr eiliad honno pan welai haid o lewod yn ymlwybro o'r glaswelltir. Yr impalaod fyddai'r rhai cyntaf i sboncio oddi yno, ac wedyn byddai'r sebras yn dychryn ac yn carlamu i ffwrdd. Mewn eiliad, mi fyddai'r llewod wedi hawlio'r ffynnon iddyn nhw'u hunain, ac yn pwyso ymlaen i yfed.

Gwyliai Byrti o ddiogelwch y clos, gan ddysgu wrth dyfu'n hŷn. Erbyn hyn, gallai ddringo'r goeden wrth y ffermdy, ac eistedd yn ei changhennau uchaf. Gallai weld yn well o'r fan honno. Arhosai am oriau maith i weld ei lewod. Daeth mor gyfarwydd â bywyd y ffynnon nes y gallai synhwyro bod y llewod yno, cyn iddo eu gweld, hyd yn oed.

Doedd gan Byrti ddim ffrindiau i chwarae efo nhw, ond roedd o wastad yn dweud nad oedd o'n blentyn unig. Gyda'r nos roedd o wrth ei fodd yn darllen ac yn ymgolli yn y straeon, ac yn y dydd roedd ei galon allan yn y glaswelltir gyda'r anifeiliaid. Roedd o'n ysu am gael bod yno hefyd. Pan oedd ei fam yn ddigon iach, mi fyddai'n erfyn arni i fynd â fo allan o'r clos, ond yr un oedd ei hateb bob amser.

'Fedra i ddim, Byrti. Mae dy dad wedi dweud "na",' meddai. A dyna ni.

Byddai'r dynion yn dod adre'n llawn hanesion am y glaswelltir, am y teulu o lewpartiaid hela yn eistedd fel gwylwyr ar y bryn, neu'r llewpard roedden nhw wedi'i weld yn uchel yn ei goeden yn gwarchod ei swper. Bydden nhw'n sôn am yr udfleiddiaid y bu'n rhaid iddyn nhw eu dychryn i ffwrdd, neu'r gyr o eliffantod oedd wedi carlamu'n wyllt ar ôl y gwartheg. A byddai Byrti'n gwrando'n astud, ei lygaid fel dwy soser. Dro ar ôl tro gofynnai i'w dad am gael mynd efo fo i fugeilio'r gwartheg. Chwarddai ei dad, gan roi ei law yn ysgafn ar ei ben a dweud mai gwaith dyn oedd hynny. Dysgodd tad Byrti iddo sut i farchogaeth, a sut i saethu hefyd, ond dim ond o fewn ffiniau'r clos.

Bob awr o bob dydd roedd yn rhaid i Byrti aros y tu ôl i'r ffens. Ond roedd o wedi penderfynu os na fyddai neb yn mynd ag o allan i'r glaswelltir, mi fyddai'n mynd ar ei ben ei hun rhyw ddiwrnod. Ond roedd rhywbeth wastad yn ei atal rhag mynd. Efallai mai un o'r straeon hynny am y neidr famba ddu oedd yn ei rwystro, â'i brathiad fyddai'n lladd o fewn deg munud. Neu'r straeon am yr udfleiddiaid fyddai'n dy gnoi yn ddarnau mân, neu'r fwlturiaid fyddai'n bwyta unrhyw beth oedd yn weddill fel na fyddai gan neb syniad be ddigwyddodd i ti. Am y tro, byddai Byrti yn aros y tu ôl i'r ffens. Ond wrth iddo dyfu i fyny, dechreuodd y clos deimlo fwyfwy fel carchar iddo.

Un gyda'r nos, pan oedd Byrti tua chwech oed, roedd o'n eistedd yn uchel yn ei goeden, yn gobeithio â'i holl galon y byddai'r llewod yn dod am eu diod arferol gyda'r machlud. Roedd o bron â rhoi'r gorau i ddisgwyl, gan y byddai'n rhy dywyll yn y man i weld unrhyw beth, pan ddaeth un llewes ar ei phen ei hun at y ffynnon. Yna gwelodd nad oedd hi ar ei phen ei hun. Y tu ôl iddi, ar goesau sigledig,

roedd rhywbeth oedd yn edrych fel cenau llew – ond roedd o'n wyn ac yn disgleirio wrth i'r gwyll gau amdanyn nhw.

Wrth i'r llewes yfed roedd y llew bach yn chwarae ac yn ceisio dal ei chynffon. Yna, ar

ôl iddi gael digon i yfed, llithrodd y ddau rhwng y glaswellt tal a diflannu. Roedd Byrti wedi cynhyrfu cymaint fel y rhedodd i'r tŷ gan sgrechian. Roedd yn rhaid iddo ddweud wrth rywun, unrhyw un. Daeth o hyd i'w dad yn gweithio wrth ei ddesg.

'Amhosib,' meddai ei dad. 'Rwyt ti'n

dychmygu, neu mi wyt ti'n dweud celwydd – un o'r ddau.'

'Mi welais i o. Dwi'n bendant,' mynnai Byrti. Ond doedd ei dad ddim isio clywed rhagor, ac anfonodd Byrti i'w stafell am iddo ddadlau ag o.

Daeth ei fam i'w weld yn hwyrach.

'Gall unrhyw un wneud camgymeriad, Byrti bach,' meddai. 'Mae'n rhaid mai'r machlud oedd yn chwarae triciau ar dy lygaid di. Does dim ffasiwn beth â llew gwyn.'

Y noson wedyn aeth Byrti i wylio wrth y ffens eto, ond doedd dim golwg o'r llew bach gwyn na'r llewes, a doedd dim golwg ohonyn nhw'r noson wedyn, na'r noson wedyn chwaith. Dechreuodd Byrti feddwl mai wedi breuddwydio roedd o wedi'r cwbl.

Aeth wythnos neu fwy heibio, a dim ond llond llaw o sebras a gnŵod oedd wedi bod wrth y ffynnon. Roedd Byrti eisoes yn ei wely pan glywodd ei dad yn marchogaeth i'r clos, a sŵn ei esgidiau trwm ar y feranda.

'Ry'n ni wedi'i dal hi! Ry'n ni wedi'i dal hi!' meddai. 'Llewes anferth – roedd hi'n glamp o beth. Mae hi wedi mynd â hanner dwsin o 'ngwartheg gorau i yn y pythefnos diwethaf. Wel, fydd hi ddim yn mynd â rhagor.'

Rhewodd calon Byrti. Mewn un eiliad erchyll mi wyddai am ba lewes roedd ei dad yn sôn. Doedd dim amheuaeth. Roedd y cenau llew gwyn wedi colli ei fam.

'Ond beth petai,' meddai mam Byrti, 'beth petai ganddi rai bach i'w bwydo? Efallai eu bod nhw'n llwgu.'

'Mi fasen ninnau wedi llwgu os baswn i wedi gadael iddi hela'r gwartheg. Roedd yn rhaid i ni ei saethu hi,' atebodd ei dad.

Gorweddodd Byrti'n effro trwy'r nos yn gwrando ar yr adlais wylofus yn rhuo trwy'r glaswelltir, fel petai pob llew yn Affrica yn galaru.

Gwthiodd ei wyneb i'w obennydd ac ni allai feddwl am unrhyw beth heblaw'r llew bach gwyn heb fam. Addawodd yn y fan a'r lle, os byddai'r cenau llew yn dod at y ffynnon i chwilio am ei fam, yna mi fyddai Byrti yn gwneud yr hyn nad oedd o erioed wedi mentro'i wneud o'r blaen. Byddai'n agor y giât, yn mynd allan, ac yn dod â'r cenau llew gartref. Fyddai o ddim yn gadael iddo farw yno ar ei ben ei hun bach. Ond ddaeth 'run cenau llew at y ffynnon. Arhosodd Byrti amdano, drwy'r dydd, bob dydd, ond doedd dim sôn amdano.

Byrti a'r Llew

Un bore, tua wythnos yn ddiweddarach, deffrodd Byrti wrth iddo glywed sŵn gweryru gwyllt. Neidiodd o'i wely a rhuthro at y ffenest. Roedd gyr o sebras yn sgrialu o'r ffynnon wrth i ddau udflaidd redeg ar eu holau. Yna gwelodd dri udflaidd arall yn sefyll fel delwau, eu trwynau yn yr awyr, a'u llygaid wedi'u hoelio ar y ffynnon. Dim ond nawr y gwelodd Byrti'r cenau llew. Ond doedd hwn ddim yn wyn o gwbl. Roedd ei gefn at y ffynnon, yn fwd drosto ac yn chwifio pawen druenus ar yr udfleiddiaid oedd yn dechrau ei amgylchynu. Doedd gan y llew bach unman i redeg iddo, ac roedd yr udfleiddiaid yn dod yn nes ac yn nes.

Rhuthrodd Byrti i lawr y grisiau mewn chwinciad, neidiodd oddi ar y feranda a rhedodd yn droednoeth ar hyd y clos, gan weiddi ar dop ei lais. Agorodd y giât led y pen a rhuthro i lawr yr allt at y ffynnon, gan floeddio a sgrechian a chwifio'i freichiau fel peth gwyllt. Trodd yr udfleiddiaid a dechrau rhedeg mewn braw, ond aethon nhw ddim yn bell. Pan oedd o fewn cyrraedd taflodd Byrti lond llaw o gerrig mân atyn nhw, a rhedodd yr udfleiddiaid i ffwrdd eto, ond unwaith yn rhagor, aethon nhw ddim yn bell. Yna, roedd Byrti wrth y ffynnon, rhwng y cenau llew a'r udfleiddiaid, yn gweiddi arnyn nhw i adael. Wnaethon nhw ddim. Safodd yr haid yn gwylio, yn ansicr am sbel, cyn dechrau cerdded mewn cylch eto, yn nes ac yn nes . . .

Dyna pryd yr atseiniodd yr ergyd. Rhedodd yr udfleiddiaid i'r glaswellt uchel, a diflannu. Trodd Byrti a gweld ei fam yn ei choban, a reiffl yn ei llaw, yn rhedeg tuag ato i lawr yr allt. Doedd o erioed wedi'i gweld

hi'n rhedeg o'r blaen. Llwyddodd y ddau i godi'r llew bach, oedd yn glymau o fwd, a'i gario i'r tŷ. Roedd o'n rhy wan i brotestio, ond mi wnaeth ei orau. Ar ôl rhoi llaeth cynnes i'r llew dyma nhw'n ei roi mewn bath. Wedi ymolchi tipyn arno gwelodd Byrti fod blew gwyn o dan y mwd.

'Ti'n gweld?' gwaeddodd yn falch. 'Mae o yn wyn! Mae o. Ddywedais i, do? Fy llew gwyn i ydi o!' Doedd ei fam ddim yn ei gredu eto. Pum bath yn ddiweddarach, gwyddai mai Byrti oedd yn iawn.

Rhoddodd Byrti a'i fam y llew bach mewn basged ddillad wrth y popty a'i fwydo eto, hynny o laeth oedd o isio, ac mi yfodd y cwbl. Yna gorweddodd, a chysgu'n sownd. Roedd o'n dal i gysgu pan ddaeth tad Byrti adref amser cinio. Dywedodd y ddau wrtho yn union beth oedd wedi digwydd.

'Plis, Dad. Rydw i isio'i gadw fo,' plediodd Byrti.

'A minnau hefyd,' meddai ei fam. 'Rydan

ni'n dau isio.' Doedd Byrti erioed wedi clywed ei fam yn siarad fel 'na o'r blaen, â llais cryf a phenderfynol.

Doedd tad Byrti ddim yn siŵr sut i ateb. Y cwbl ddywedodd o oedd, 'Mi siaradwn ni am hyn yn nes ymlaen,' ac yna cerddodd allan.

Mi wnaethon nhw siarad am y peth yn hwyrach, pan oedd Byrti i fod yn ei wely. Ond doedd o ddim. Clywodd nhw'n dadlau. Roedd o tu allan i ddrws y stafell fyw, yn gwylio, yn gwrando. Cerddai ei dad 'nôl a mlaen.

'Rwyt ti'n gwybod y bydd o'n tyfu,' meddai. 'Fedri di ddim cadw llew ar ôl iddo dyfu, mi wyddost ti hynny.'

'Ac mi wyt ti'n gwybod na allwn ni ei daflu i'r udfleiddiaid,' atebodd ei fam. 'Mae arno ein hangen ni, ac efallai ein bod ni ei angen o hefyd. Mi fydd o'n rhywun i Byrti chwarae efo fo am dipyn.' Ac yna ychwanegodd yn drist, 'Wedi'r cyfan, dydi o ddim yn debygol o gael brawd neu chwaer fach, nac ydi?'

Ar ôl iddi ddweud hyn aeth tad Byrti ati a rhoi cusan ysgafn ar ei thalcen. Dyna'r unig dro i Byrti ei weld yn ei chusanu.

'O'r gorau,' meddai ei dad. 'O'r gorau. Mi gewch chi gadw'ch llew.'

Ac felly daeth y llew bach gwyn i fyw efo nhw yn y ffermdy. Cysgai wrth droed gwely Byrti. Ble bynnag roedd Byrti'n mynd, roedd y llew yn mynd hefyd – hyd yn oed i'r stafell ymolchi, lle byddai'n gwylio Byrti yn cael bath ac yn llyfu ei goesau wedyn nes eu bod nhw'n sych. Doedden nhw byth ar wahân. Byrti oedd yn gofalu am y bwydo – llaeth bedair gwaith y dydd o un o boteli cwrw ei dad – nes bod y llew yn gallu llowcio'r llaeth o bowlen gawl. Roedd digon o gig impala ar gael iddo, ac wrth iddo dyfu – ac roedd o'n tyfu'n gyflym – roedd o isio mwy a mwy ohono.

Am y tro cyntaf erioed teimlai Byrti yn berffaith hapus. Roedd y cenau llew cystal ag unrhyw frawd neu chwaer, a chystal â ffrind. Byddai'r ddau ohonyn nhw'n eistedd ochr yn ochr ar gadair freichiau ar y feranda yn gwylio'r haul coch yn machlud dros Affrica, a byddai Byrti'n darllen *Pedr a'r Blaidd* iddo. Ar ôl gorffen y stori byddai Byrti wastad yn addo na fyddai byth yn gadael iddo fynd i'r sw a byw mewn cawell dan glo, fel y blaidd yn y stori. A byddai'r llew bach yn edrych yn ffyddiog ar Byrti a'i lygaid melyngoch .

'Pam na roi di enw iddo?' gofynnodd ei fam un diwrnod.

'Achos dydi o ddim angen un,' atebodd Byrti. 'Llew ydi o, nid person. Tydi llewod ddim angen enwau.'

Roedd mam Byrti wastad yn hynod o amyneddgar efo'r llew, waeth faint o lanast roedd o'n ei wneud, na faint o glustogau roedd o'n eu rhwygo, na faint o lestri roedd o'n eu chwalu'n deilchion. Doedd dim o hyn fel petai'n ei phoeni. Ac yn rhyfedd iawn, doedd hi byth, bron, yn sâl bellach. Roedd yna sbonc yn ei cherddediad, ac roedd ei chwerthin yn llenwi'r tŷ. Doedd tad Byrti, ar y llaw arall, ddim mor hapus.

'Llewod,' arferai fwmian dan ei wynt.

'Ddylai llewod ddim byw mewn tai. Mi ddylai o gael ei gadw tu allan, ar y clos.' Ond fyddai hynny byth yn digwydd. Roedd y llew wedi dod â chyffro newydd i fywydau'r fam a'i mab, cyffro a llawer o chwerthin.

Rhedeg yn Rhydd

Hon oedd y flwyddyn orau ym mywyd ifanc Byrti. Ond roedd ei diwedd yn fwy poenus nag y gallai Byrti byth fod wedi dychmygu. Gwyddai y byddai'n gorfod mynd i ffwrdd i'r ysgol pan oedd o'n hŷn, ond roedd wedi meddwl ac wedi gobeithio na fyddai hynny'n digwydd am amser maith. Roedd wedi osgoi meddwl am y peth.

Roedd ei dad newydd ddod adref o'i drip busnes blynyddol i Johannesburg. Torrodd y newydd amser swper y noson honno. Gwyddai Byrti fod rhywbeth ar droed. Yn ddiweddar, roedd ei fam wedi bod yn drist, nid yn sâl, ond yn rhyfedd o ddigalon. Byddai'n osgoi edrych i fyw ei lygaid, ac mi fyddai'n gwingo wrth drio gwenu arno. Roedd y llew newydd orwedd wrth ymyl Byrti, ei ben yn gynnes ar ei draed, pan gliriodd ei dad ei wddf a dechrau siarad. Gwyddai fod 'na ddarlith ar y ffordd. Roedd Byrti wedi'u clywed nhw o'r blaen yn ddigon aml – darlith am sut i ymddwyn, am fod yn onest, ac am beryglon gadael y clos.

'Mi fyddi di'n wyth oed cyn bo hir, Byrti,' meddai, 'ac mae dy fam a minnau wedi bod yn meddwl. Mae angen addysg go iawn ar fachgen, ac ysgol dda. Wel, rydan ni wedi dod o hyd i'r lle perffaith i ti, ysgol ger Salisbury yn Lloegr. Mae dy Yncl George ac Anti Melanie yn byw'n agos, ac wedi addo edrych ar dy ôl di yn ystod y gwyliau, a dod i edrych amdanat ti o dro i dro. Mi fyddan nhw'n fam ac yn dad i ti am dipyn. Mi fyddi di'n eu hoffi nhw, dwi'n siŵr. Maen nhw'n bobl dda. Felly mi fyddi di'n mynd ar y llong i Loegr ym mis Gorffennaf. Bydd dy fam yn mynd â ti. Mi fydd hi'n treulio'r haf efo ti yn Salisbury, ac ar ôl iddi fynd â ti i'r ysgol ym mis Medi, mi ddaw hi yn ôl yma i'r fferm. Mae'r cwbl wedi'i drefnu.'

Wrth i'w galon lenwi ag ofn, yr unig beth fedrai Byrti feddwl amdano oedd ei lew gwyn.

'Ond y llew,' llefodd, 'beth am y llew?'

'Mae arna i ofn bod gen i rywbeth arall i'w ddweud wrthat ti,' meddai ei dad. Edrychodd ar fam Byrti a chymryd anadl ddofn. Ac yna dywedodd wrtho. Dywedodd ei fod wedi cyfarfod â Ffrancwr pan oedd yn Johannesburg, Ffrancwr oedd yn berchen ar syrcas yn Ffrainc. Roedd o wedi dod i Affrica i edrych am lewod ac eliffantod i'w prynu ar gyfer ei syrcas. Roedd yn hoffi eu cael nhw pan oedden nhw'n ifanc, yn ifanc iawn – yn flwydd oed neu iau, fel bod modd eu hyfforddi heb ormod o drafferth. Ac roedd hi'n haws, ac yn rhatach i'w cludo o un wlad i'r llall pan oedden nhw'n ifanc. Mi fyddai'n dod i'r fferm ymhen ychydig ddyddiau i weld y llew gwyn drosto'i hun. Os byddai'n hoffi'r hyn a welai, mi fyddai'n talu pris da ac yn mynd â fo oddi yno.

Dyna'r unig dro yn ei fywyd i Byrti weiddi ar ei dad.

'Na! Na, fedrwch chi ddim!' Roedd o mor gynddeiriog nes bod y dagrau'n boeth, ond yna daeth dagrau tawel – dagrau tristwch a cholled. Doedd dim modd cysuro Byrti, ond mi driodd ei fam ei gorau.

'Fedrwn ni mo'i gadw fo yma am byth, Byrti,' meddai. 'Roedden ni'n gwybod hynny

o'r dechrau, yn doedden? Ac mi wyt ti wedi gweld sut mae o'n syllu drwy'r ffens ar y glaswelltir. Rwyt ti wedi'i weld o'n cerdded 'nôl a mlaen. Ond fedrwn ni ddim ei ollwng o'n rhydd. Mi fyddai ar ei ben ei hun bach, heb fam i'w warchod o. Fyddai o'n methu ymdopi. Mi fyddai wedi marw o fewn wythnosau. Ti'n gwybod hynny.'

'Ond fedrwch chi ddim ei anfon o i syrcas! Fedrwch chi ddim!' llefodd Byrti. 'Mi geith o ei roi dan glo. Wnes i addo iddo na fyddai hynny byth yn digwydd. Ac mi fydd pobl yn pwyntio ato. Ac yn chwerthin am ei ben. Mi fyddai'n well ganddo farw. Mi fyddai'n well gan unrhyw anifail farw na byw fel'na.' Ond mi wyddai Byrti wrth edrych ar ei rieni ar

draws y bwrdd bod dim pwrpas – roedden nhw wedi penderfynu.

Teimlai Byrti wedi'i fradychu'n llwyr. Y noson honno penderfynodd beth oedd raid iddo'i wneud. Arhosodd nes ei fod yn clywed anadlu dwfn ei dad yn y stafell drws nesaf. Yna, gyda'r llew gwyn wrth ei sodlau, sleifiodd i lawr y grisiau yn ei byjamas, estyn am reiffl ei dad, a chamu i'r nos. Gwichiodd giât y clos yn swnllyd wrth iddo'i gwthio, ond yna mi oedden nhw allan, allan yn rhedeg yn rhydd. Doedd Byrti'n meddwl dim am y peryglon oedd o'i gwmpas, dim ond bod yn rhaid iddo

fynd mor bell â phosib o'r tŷ cyn iddo wneud yr hyn roedd o'n bwriadu ei wneud.

Cerddai'r llew wrth ei ymyl, gan stopio bob hyn a hyn i arogli'r awyr. Trodd clwstwr o goed yn haid o eliffantod oedd yn ymlwybro tuag atyn nhw o'r gwyll. Dechreuodd Byrti redeg. Gwyddai fod eliffantod yn casáu llewod. Rhedodd a rhedodd nes bod ei goesau'n methu rhedeg cam ymhellach. Wrth i'r haul godi uwchben y glaswelltir dringodd i ben bryncyn ac eistedd, ei fraich am wddw'r llew. Roedd yr amser wedi cyrraedd.

'Bydd yn anifail gwyllt,' sibrydodd. 'Mae'n rhaid i ti fod yn anifail gwyllt. Paid â dod gartref. Paid byth â dod adref. Mi fyddan nhw'n dy roi di dan glo. Wyt ti'n fy nghlywed i? Mi fydda i'n meddwl amdanat ti tra bydda i byw, dwi'n addo. Wna i byth dy anghofio di.' Claddodd Byrti ei ben yng ngwddw'r llew a chlywodd ei riddfan annwyl yn ddwfn y tu mewn iddo. Safodd Byrti ar ei draed.

'Dwi'n mynd rŵan,' meddai. 'Paid â fy

nilyn i. Plis, paid â fy nilyn i.' A dringodd Byrti i lawr o'r bryncyn a cherdded i ffwrdd.

Pan edrychodd yn ôl, roedd y llew yn dal i eistedd yno'n ei wylio. Yna safodd, dylyfu ei ên, ymestyn ei goesau, llyfu ei weflau, a sboncio i lawr ar ei ôl. Gwaeddodd Byrti arno, ond daliodd i ddod tuag ato. Taflodd Byrti frigau. Taflodd gerrig. Doedd dim byd yn tycio. Byddai'r llew yn stopio, ond unwaith y cerddai Byrti yn ei flaen, mi fyddai'n ei ddilyn eto o bellter diogel.

'Dos yn ôl,' gwaeddodd Byrti, 'y llew twp! Dwi'n dy gasáu di! Dwi'n dy gasáu di! Dos yn ôl!' Ond daliai'r llew i sboncio ar ei ôl, waeth beth roedd Byrti'n ei wneud a'i ddweud.

Dim ond un dewis oedd ganddo. Doedd o ddim isio gwneud, ond roedd yn rhaid iddo. Gyda dagrau lond ei lygaid a'i geg, cododd Byrti y reiffl ar ei ysgwydd a saethu i'r awyr uwchben y llew. Ar unwaith, trodd y llew a sgrialu nerth ei draed trwy'r glaswelltir. Saethodd Byrti eto. Gwyliodd nes bod dim golwg o'r llew, ac yna trodd am adref. Gwyddai y byddai'n rhaid iddo wynebu'r hyn oedd i ddod. Efallai y byddai ei dad yn ei guro â strap – roedd o wedi bygwth gwneud digon o weithiau – ond doedd dim gwahaniaeth gan Byrti. Mi fyddai ei lew yn cael blas ar ryddid, er efallai na fyddai'n fawr o ryddid. Ond roedd unrhyw beth yn well na chell a chwip y syrcas.

Y Ffrancwr

Roedden nhw yno'n aros ar y feranda, ei fam yn ei chobun, ei dad yn ei het a'r cyfrwy wedi'i osod ar ei geffyl, yn barod i ddod ar ei ôl.

'Dwi wedi'i ollwng o'n rhydd,' llefodd Byrti. 'Dwi wedi'i ollwng o'n rhydd fel bod dim rhaid iddo fyw dan glo.' Cafodd ei anfon i'w stafell yn syth, a thaflodd ei hun ar ei wely a chladdu ei wyneb yn ei obennydd.

Ddydd ar ôl dydd byddai ei dad yn mynd allan i chwilio am y llew gwyn, ond byddai'n dod yn ôl yn waglaw ac yn wyllt gynddeiriog bob tro.

'Be ydw i i fod i ddweud wrth y Ffrancwr pan ddaw o, hm? Wnest ti feddwl am hynny,

Byrti? Wnest ti? Mi ddylwn i dy gosbi. Mi fyddai unrhyw dad gwerth ei halen yn rhoi stŵr iti.' Ond wnaeth o ddim.

Drwy'r dydd, bob dydd mi fyddai Byrti wrth y ffens, neu ar ben ei goeden ar y clos, neu wrth ffenest ei stafell wely, ei lygaid yn craffu i geisio gweld rhywbeth gwyn yn symud yn y glaswelltir. Byddai'n gweddïo wrth ei wely bob nos nes ei fod yn methu teimlo'i bengliniau, yn gweddïo y byddai ei lew gwyn yn dysgu sut i ladd, y byddai, rywsut, yn dod o hyd i ddigon i'w fwyta, ac y byddai'n osgoi'r udfleiddiaid, a'r llewod eraill o ran hynny. Ond yn fwy na dim, gweddïodd na fyddai'n dod 'nôl, o leiaf hyd nes byddai'r Ffrancwr o'r syrcas wedi dod ac wedi mynd.

Y diwrnod y daeth y Ffrancwr dechreuodd hi fwrw glaw, y glaw cyntaf ers misoedd. Gwyliodd Byrti y Ffrancwr yn sefyll ar y feranda, y glaw yn diferu oddi arno, ei ddau fawd ym mhoced ei wasgod, wrth i'w dad dorri'r newydd nad oedd llew gwyn yno i'w gasglu, a'i fod o wedi dianc. Yr eiliad honno cododd mam Byrti ei llaw at ei gwddw, pwyntio â'i bys a rhoi bloedd. Roedd y llew gwyn yn ymlwybro trwy giât agored y clos ac yn nadu'n druenus. Rhedodd Byrti ato, syrthio ar ei liniau a gafael ynddo. Roedd y llew yn wlyb at ei groen ac yn crynu. Roedd o ar lwgu ac mor boenus o denau nes ei bod yn bosib gweld ei asennau. Daeth pawb i helpu i'w rwbio'n sych, a gwylio wrth iddo fwyta'n awchus.

'*Incroyable! Magnifique!*' meddai'r Ffrancwr. 'Ac mae'n wyn hefyd, yn union fel y dywedoch chi, yn wyn fel eira, ac yn ddof hefyd. Fo fydd seren fy syrcas i. Ei enw fydd *Le Prince Blanc*, 'Y Tywysog Gwyn'. Mi gaiff o bopeth fydd ei angen arno, popeth fydd o ei isio, cig ffres bob dydd, gwellt glân bob nos. Rwy'n caru fy anifeiliaid, wyddoch chi. Nhw ydi fy nheulu, a hwn, dy lew di, fydd fy hoff fab. Paid â phoeni, fachgen, dwi'n addo i ti na fydd o byth yn llwgu eto.' Rhoddodd ei law ar ei galon. 'Ar fy llw, rydw i'n addo.'

Edrychodd Byrti ar wyneb y Ffrancwr. Roedd yn wyneb clên, er nad oedd yn gwenu, ac roedd golwg onest a dibynadwy arno. Er hynny, doedd hyn ddim yn gwneud i Byrti deimlo'n well o gwbl.

'Dyna ni, ti'n gweld?' meddai mam Byrti. 'Mi fydd y llew yn hapus, a dyna'r unig beth sy'n bwysig, yntê Byrti?'

Gwyddai Byrti nad oedd pwrpas dadlau. Mi wyddai bellach na fyddai'r llew byth yn gallu byw ar ei ben ei hun yn y gwyllt, ac y byddai'n rhaid iddo fynd efo'r Ffrancwr. Doedd dim dewis arall.

Y noson honno, wrth iddyn nhw orwedd ochr yn ochr yn y tywyllwch, gwnaeth Byrti un addewid olaf i'r llew. 'Mi ddo' i o hyd i ti,' sibrydodd. 'Paid ag anghofio mod i am ddod o hyd i ti. Dwi'n addo y gwna' i.'

Bore drannoeth ysgydwodd y Ffrancwr law Byrti ar y feranda a ffarwelio.

'Mi fydd o'n iawn, paid â phoeni. Ac un diwrnod mi fydd yn rhaid i ti ddod i Ffrainc i weld fy syrcas, *Le Cirque Merlot*. Y syrcas orau drwy Ffrainc gyfan.' Ac yna i ffwrdd â nhw, gyda'r llew gwyn mewn cawell pren yn siglo o ochr i ochr yng nghefn wagen y Ffrancwr. Gwyliodd Byrti nes bod y wagen wedi diflannu o'r golwg.

Ychydig fisoedd yn ddiweddarach, roedd Byrti ar long yn hwylio o Cape Town, ar ei ffordd i Loegr ac i ysgol a bywyd newydd. Wrth i Fynydd y Penrhyn ddiflannu yn y tes, dywedodd ffarwél wrth Affrica, a doedd o ddim yn anhapus o gwbl. Roedd ei fam efo fo, am y tro beth bynnag. Ac wedi'r cwbl, roedd Lloegr yn nes at Ffrainc nag oedd Affrica – yn llawer, llawer nes.

Strawbridge

Crychodd yr hen wraig ei thrwyn wrth yfed ei the.

'Dwi'n gwneud hynna o hyd,' meddai. 'Dwi wastad yn gadael i 'nhe oeri.' Crafodd y ci ei glust a griddfan â phleser wrth wneud, ond roedd o'n dal i fy llygadu i drwy'r amser.

'Dyna'r diwedd felly?' gofynnais.

Chwarddodd wrth osod ei chwpan ar y soser. 'Wel, naci wir,' meddai. Ac aeth yn ei blaen, gan dynnu deilen de o flaen ei thafod. 'Hyd yma, dim ond stori Byrti rwyt ti wedi'i chlywed. Mi ddywedodd y stori wrtha i gymaint o weithiau nes mod i'n teimlo bron fel petawn i wedi bod yn Affrica fy hun. Ond o hyn allan fy stori i ydi hi hefyd.'

'Beth am y llew gwyn?' Roedd yn rhaid i

mi gael gwybod. 'Wnaeth Byrti ddod o hyd i'r llew gwyn? Gadwodd o at ei air?'

Yn sydyn roedd yr hen wraig fel petai dan gwmwl o dristwch.

'Rhaid i ti gofio,' meddai, gan osod llaw esgyrnog ar f'un i, 'nad ydi straeon go iawn wastad yn gorffen fel y dymunwn ni. Wyt ti isio clywed beth ddigwyddodd go iawn, neu a fyddai'n well gen ti mod i'n creu stori, i dy gadw di'n hapus?'

'Dwi isio gwybod be ddigwyddodd go iawn,' atebais.

'Yna mi gei di,' meddai. Trodd oddi wrtha i ac edrych drwy'r ffenest eto ar y llew pilipala oedd yn dal i ddisgleirio'n las ar y bryn.

****

Tra oedd Byrti'n tyfu i fyny ar ei fferm yn Affrica gyda ffens o'i gwmpas, roeddwn i'n tyfu i fyny yma yn Strawbridge, yn y tŷ yma oedd fel ogof oer, gyda'i barc ceirw a'i waliau uchel o'i gwmpas ym mhobman. Ac mi dyfais i fyny ar fy mhen fy hun, fwy neu lai. Ro'n i'n unig blentyn hefyd. Bu farw fy mam wrth roi genedigaeth i mi, a doedd Dad ddim gartre'n aml iawn. Efallai mai dyna pam roedd Byrti a finnau wedi dod yn ffrindiau da yn syth. Roedd gan y ddau ohonon ni gymaint yn gyffredin o'r cychwyn cyntaf.

Fel Byrti, do'n i ddim yn mynd y tu hwnt i ffiniau fy nghartre bron o gwbl, felly doedd gen i ddim llawer o ffrindiau. Do'n i ddim yn mynd i'r ysgol chwaith, ar y dechrau. Roedd gen i athrawes gartref – Miss Casper. 'Cas-beth' roedd pawb yn ei galw hi am ei bod hi mor ddifrifol a llym. Roedd hi'n stelcian o gwmpas y tŷ fel cysgod oer. Roedd hi'n byw ar y llawr uchaf, gyda'r gogyddes, a Nani. Nani Mason, gwyn ei byd, fagodd fi, a hi ddysgodd i mi beth i'w wneud a beth i beidio'i wneud mewn bywyd, fel y dylai pob nani dda ei wneud. Ond roedd hi'n fwy na nani i fi, roedd hi'n fam i fi, ac yn un hyfryd hefyd, yr orau allwn ei chael, yr orau y gallai unrhyw un ei chael.

Mi fyddwn i'n cael gwersi gyda Cas-beth bob bore, ond drwy gydol yr amser mi fyddwn i'n edrych ymlaen at gael mynd am dro gyda Nani Mason yn y prynhawn – ac eithrio ar ddydd Sul, pan o'n i'n cael bod ar fy mhen fy hun drwy'r dydd, os nad oedd Dad

gartref am y penwythnos, ond doedd o ddim fel arfer. Wedyn mi fyddwn i'n cael hedfan barcud pan oedd hi'n braf, a darllen llyfrau pan fyddai'n glawio. Ro'n i wrth fy modd efo fy llyfrau – *Black Beauty, Little Women, Heidi* – ro'n i wrth fy modd efo pob un ohonyn nhw, am eu bod nhw'n mynd â fi y tu hwnt i waliau'r parc, yn mynd â fi dros y byd i gyd. Roedd fy ffrindiau gorau rhwng cloriau'r llyfrau – tan i mi gyfarfod Byrti, wrth gwrs.

Yn fuan ar ôl i mi droi'n ddeg oed oedd hi, dwi'n cofio. Roedd hi'n ddydd Sul ac ro'n i allan yn hedfan barcud. Ond doedd dim llawer o wynt, a waeth pa mor gyflym ro'n i'n rhedeg, allwn i ddim cael hyd yn oed fy marcud gorau i ddal y gwynt a hedfan. Dringais yr holl ffordd i ben Bryn Coed, i geisio dod o hyd i awel. Ac mi ddes i o hyd iddi o'r diwedd, reit ar dop y bryn, digon i wneud i'r barcud godi i'r awyr. Ond yna hyrddiodd y gwynt, a chwyrlïodd fy marcud yn wyllt tua'r coed. Fedrwn i mo'i dynnu mewn pryd. Cafodd ei ddal gan gangen a mynd yn hollol sownd mewn coeden dal, yng nghanol nythod y brain. Hedfanodd y brain oddi yno'n crawcian dan brotest wrth i mi dynnu ar y llinyn, gan weiddi'n rhwystredig a blin. Rhois y gorau iddi, eistedd ar y llawr a dechrau crio. Dyna pryd y gwelais i fachgen yn dod i'r golwg o gysgod y coed.

'Mi a' i i'w nôl o i ti,' meddai, a dechrau dringo'r goeden. Fel petai'r peth hawsaf erioed, aeth y bachgen ar hyd y canghennau dan gropian, cyn estyn ei fraich a rhyddhau fy marcud. Hedfanodd hwnnw i lawr a glanio wrth fy nhraed. Roedd fy marcud gorau wedi'i rwygo a'i falu, ond o leiaf ro'n i wedi'i gael o'n ôl.

Daeth y bachgen i lawr o ben y goeden a sefyll o fy mlaen i.

'Pwy wyt ti? Be wyt ti isio?' gofynnais.

'Mi fedra i ei drwsio, os lici di,' meddai.

'Pwy wyt ti?' gofynnais eto.

'Byrti Andrews,' atebodd. Roedd o'n gwisgo gwisg ysgol lwyd, un y gwnes ei hadnabod yn syth. Roeddwn i'n aml yn gwylio'r plant o fynedfa'r tŷ, wrth y llew, yn cerdded, fesul dau, mewn capiau ysgol glas a sanau glas.

'Rwyt ti'n mynd i'r ysgol i fyny'r ffordd, yn dwyt?' gofynnais.

'Wnei di ddim dweud, na wnei?' Roedd ei lygaid yn fflachio mewn braw. Gwelais wedyn fod ei goesau'n grafiadau i gyd a'r rheini'n gwaedu.

'Wyt ti wedi bod mewn brwydr?' gofynnais.

'Dwi wedi rhedeg i ffwrdd,' aeth yn ei flaen. 'A dwi byth yn mynd yn ôl. Byth.'

'I ble rwyt ti'n mynd?' gofynnais iddo. Ysgydwodd ei ben.

'Dwn i ddim. Yn ystod y gwyliau dwi'n byw yn nhŷ fy anti yn Salisbury, ond dwi ddim yn hoffi bod yno.'

''Sgen ti ddim cartre go iawn?' gofynnais.

'Wrth gwrs bod gen i,' atebodd. 'Mae gan bawb gartre go iawn. Ond mae f'un i yn Affrica.'

Eisteddon ni gyda'n gilydd ar Fryn Coed drwy'r prynhawn y diwrnod hwnnw. Dywedodd wrtha i am Affrica, am y fferm, am y ffynnon, am ei lew gwyn oedd mewn syrcas rywle yn Ffrainc erbyn hyn, a'i fod o'n methu dioddef meddwl amdano.

'Ond mi ddo' i o hyd iddo,' meddai'n bendant. 'Mi ddo' i o hyd iddo rywsut.'

A bod yn onest, doeddwn i ddim yn siŵr faint yn union ro'n i'n ei gredu am y llew gwyn. Do'n i ddim yn meddwl bod llewod yn gallu bod yn wyn.

'Y broblem ydi,' aeth yn ei flaen, 'hyd yn oed pan ddo' i o hyd iddo, fydda i ddim yn gallu mynd â fo adre i Affrica fel yr hoffwn ei wneud.'

'Pam lai?' gofynnais.

'Oherwydd mi fuodd fy mam i farw.' Edrychodd ar y llawr a thynnu darnau o laswellt wrth ei ymyl. 'Roedd malaria arni, ond dwi'n meddwl mai torri ei chalon wnaeth hi go iawn.' Pan edrychodd i fyny roedd ei lygaid yn nofio â dagrau.

'Mae hynny yn gallu digwydd. Wedyn mi werthodd fy nhad y fferm a phriodi rhywun arall. Dwi byth isio mynd yn ôl. Dwi byth isio'i weld o eto. Byth.'

Ro'n i isio dweud bod yn ddrwg gen i am ei fam, ond ro'n i'n methu dod o hyd i'r geiriau iawn.

'Ti'n byw yma go iawn felly?' meddai. 'Yn y lle anferth yna? Mae o mor fawr â fy ysgol i.'

Dywedais fy hanes wrtho wedyn, am y ffaith fod Dad i ffwrdd yn Llundain drwy'r amser, ac am Cas-beth a Nani Mason. Sugnodd ar feillionen borffor wrth i mi siarad, a phan doedd gan 'run ohonon ni ddim byd arall i'w ddweud dyma ni'n gorwedd yn yr haul a gwylio pâr o foncathod yn troelli uwchben. Ro'n i'n pendroni beth fyddai'n digwydd i Byrti petai o'n cael ei ddal.

'Be ti'n mynd i'w wneud?' gofynnais o'r diwedd. 'Fyddi di mewn trwbl?'

'Dim ond os byddan nhw'n fy nal i.'

'Ond mi wnân nhw, maen nhw'n siŵr o wneud, yn y diwedd,' dywedais. 'Mae'n rhaid i ti fynd yn ôl, cyn iddyn nhw sylwi dy fod ti wedi mynd.'

Ymhen sbel cododd ei hun gan bwyso ar un penelin ac edrych i lawr arna i.

'Efallai dy fod ti'n iawn,' meddai. 'Efallai na fyddan nhw wedi sylwi mod i wedi mynd eto. Ella nad ydi hi'n rhy hwyr. Ond os a' i yn ôl, ga' i ddod yma eto? Mi fedra i wynebu mynd yn ôl os ca' i ddod yma eto. Wna i drwsio dy farcud di, go iawn.' Ac yna rhoddodd wên mor gynnes fel na allwn i wrthod.

Felly dyma drefnu. Byddai'n fy nghyfarfod i o dan y llwyfen fawr ar Fryn Coed bob dydd Sul am dri o'r gloch, neu mor agos at hynny ag y gallai. Byddai'n rhaid iddo ddod trwy'r goedwig er mwyn gwneud yn saff na fyddai byth yn cael ei weld o'r tŷ. Mi wyddwn i'n iawn y byddai yna andros o le petai Casbeth yn dod i wybod – i'r ddau ohonon ni, mae'n siŵr. Cododd Byrti ei ysgwyddau, a dweud mai'r unig beth fedrai'r ysgol ei wneud petai o'n cael ei ddal fyddai ei guro, a byddai unwaith yn rhagor ddim yn gwneud llawer o wahaniaeth. A phetaen nhw'n ei wahardd o'r ysgol, wel, mi fyddai hynna'n ei siwtio fo i'r dim.

Mae Popeth yn Iawn

Ar ôl hynny arferai Byrti ddod draw bob dydd Sul. Weithiau fedrai o ddim aros yn hir am ei fod o'n gorfod aros i mewn yn yr ysgol am gamfihafio, neu weithiau byddai'n rhaid i mi ei anfon yn ôl am fod Dad yma am y penwythnos, yn saethu ffesantod efo'i ffrindiau yn y parc. Roedd yn rhaid i ni fod yn ofalus. Mi wnaeth Byrti drwsio fy marcud, ond ar ôl tipyn mi anghofion ni bopeth am hedfan barcud, a threulio'r holl amser yn siarad ac yn cerdded.

Roedd Byrti a minnau'n edrych ymlaen at ddydd Sul. Yn ystod y ddwy flynedd nesaf fe ddaethon ni'n gyfeillion i ddechrau, ac wedyn yn ffrindiau pennaf. Wnaethon ni ddim dweud hyn wrth ein gilydd, oherwydd doedd dim angen. Wrth i mi ddod i'w nabod yn well, ro'n i'n credu ei straeon am Affrica fwy a mwy, ac am 'Y Tywysog Gwyn' oedd mewn syrcas rywle yn Ffrainc. Ro'n i'n ei gredu hefyd pan fyddai'n dweud wrtha i drosodd a throsodd y byddai, rywsut, ryw ddydd, yn dod o hyd i'w lew gwyn, ac yn gwneud yn siŵr na fyddai'n rhaid iddo fyw dan glo byth eto.

Llusgai gwyliau'r ysgol yn ddi-ben-draw heb Byrti yno ar ddydd Sul. Ond o leiaf doedd dim rhaid dioddef gwersi gyda Casbeth. Arferai fynd i ffwrdd yn ystod y gwyliau, i aros gyda'i chwaer wrth y môr yn Margate. Ac yn lle rhoi gwersi i mi, byddai Nani Mason yn mynd â fi ar deithiau natur diddiwedd – 'tro yn y gwyllt' fyddai hi'n eu galw nhw.

Ro'n i'n arfer cwyno a stampio fy nhraed.

'Ond maen nhw mor ddiflas,' dywedais wrthi. 'Pe byddai ganddon ni sebra a byfflo ac eliffant a babŵn a jiraff a gnŵ ac udflaidd smotiog a neidr famba ddu a fwltur a llew, fyddai dim ots gen i. Ond ambell garw, ffau llwynog, a gwâl mochyn daear? Baw cwningen, nyth robin goch ac ôl troed y gwcw?' Unwaith, cyn i mi fedru cnoi fy nhafod, dywedais, 'Oeddech chi'n gwybod, Nani, fod yna lewod gwyn yn Affrica, llewod gwyn go iawn?'

'Wel wir,' meddai gan chwerthin. 'Ti a dy straeon tylwyth teg, Mili. Rwyt ti'n darllen gormod o lyfrau.'

Doedd Byrti a fi ddim yn meiddio sgwennu llythyrau at ein gilydd rhag ofn i rywun ddod o hyd iddyn nhw, a'u darllen. Ond daeth tymor ysgol arall ac mi fyddai Byrti yno o dan y goeden lwyfen ar y dydd Sul cyntaf, am dri o'r gloch yn ddi-ffael. Fedra i yn fy myw gofio am beth roedden ni'n siarad yr holl amser yna. Dywedai Byrti weithiau na allai edrych ar yr un poster syrcas heb feddwl am 'Y Tywysog Gwyn'. Ond wrth i amser fynd heibio, roedd o'n siarad llai a llai am y llew gwyn, ac wedyn, soniodd yr un gair. Meddyliais efallai ei fod wedi anghofio popeth amdano.

Roedd y ddau ohonon ni'n tyfu i fyny'n rhy gyflym. Dim ond un haf arall oedd ganddon ni efo'n gilydd nes fy mod i'n cael fy anfon i gwfaint yn ymyl y môr yn Sussex, ac yntau i goleg yng nghysgod Eglwys Gadeiriol Caergaint. Roedden ni'n trysori pob diwrnod gyda'n gilydd, gan wybod cyn lleied ohonyn nhw oedd ar ôl. Doedden ni ddim yn gallu siarad am ein tristwch. Ddywedon ni 'run gair am y cariad oedd rhyngon ni. Fe wydden ni wrth edrych i lygaid ein gilydd, ac wrth i'n dwylo gyffwrdd. Roedden ni mor sicr o'n gilydd. Cyn iddo fy ngadael ar y dydd Sul olaf hwnnw rhoddodd farcud roedd o wedi'i wneud yn ei wersi gwaith coed yn anrheg i mi, a dweud wrtha i am feddwl amdano bob tro y byddwn i'n ei hedfan.

Yna aeth Byrti i'r coleg ac es innau i'r cwfaint, a welson ni mo'n gilydd eto. Ro'n i wastad yn ofalus iawn wrth hedfan y barcud roedd o wedi'i roi i mi, rhag ofn i mi ei golli mewn coeden a methu ei gael oddi yno. Meddyliais y byddai colli'r barcud fel colli Byrti am byth. Cadwais y barcud ar ben y cwpwrdd yn fy stafell. Mae o'n dal yno hyd heddiw.

Mi wnaethon ni sgwennu at ein gilydd – roedd hi'n saff i ni

wneud am ein bod oddi cartref. Roedden ni'n sgwrsio trwy ein llythyrau, yn union fel y gwnaethon ni yn ystod yr holl flynyddoedd hynny ar Fryn Coed. Roedd fy llythyrau i'n hir ac yn mwydro am hyn a'r llall yn yr ysgol, a pha mor hapus ro'n i gartref rŵan bod Casbeth wedi gadael. Roedd rhai Byrti wastad yn fyr ac mewn llawysgrifen mor fach nes ei fod yn anodd eu darllen. Doedd o ddim hapusach wedi'i gau i mewn gan ffiniau'r eglwys gadeiriol nag oedd o cynt. Roedd clychau ym mhobman, ysgrifennodd, clychau byth a beunydd – clychau i dy ddeffro, clychau cyn pob pryd bwyd, clychau cyn y gwersi, clychau, clychau, clychau yn torri ei ddyddiau yn ddarnau mân. Roedden ni'n dau yn casáu clychau. Y peth olaf a glywai gyda'r nos oedd y gwyliwr nos yn cerdded ar hyd waliau'r ddinas, yn canu ei gloch ac yn gweiddi 'Hanner nos. Noson braf. Mae popeth yn iawn.' Ac roedd Byrti'n gwybod, fel finnau, a phawb arall, nad oedd popeth yn iawn, a bod rhyfel mawr ar fin dod. Roedd ei lythyrau, a fy llythyrau i, yn llawn ofn.

Ac yna daeth storm dechrau'r rhyfel. Fel sawl storm, dim ond sŵn rhuo oedd i'w glywed yn y pellter i ddechrau, a gobeithiai pawb y byddai'n mynd heibio i ni rywsut. Ond nid felly oedd hi'n mynd i fod. Edrychai Dad mor urddasol yn y wisg werdd a'r esgidiau brown sgleiniog. Ffarweliodd â Nani Mason a minnau o flaen y tŷ, cyn dringo i mewn i'w gar a chael ei yrru i ffwrdd. Welon ni mohono byth wedyn. Alla i ddim cymryd arna i mod i wedi galaru llawer pan ddaeth y newydd ei fod wedi'i ladd. Mi wn i y dylai merch alaru ar ôl colli ei thad, ac mi

wnes i drio. Ro'n i'n drist, wrth gwrs, ond mae'n anodd galaru am rywun na wnaethoch chi erioed ei adnabod yn iawn, ac roedd fy nhad wastad wedi bod yn ddieithr i mi. Yn waeth, yn llawer gwaeth na hynny i mi, oedd y syniad y byddai'r un peth yn digwydd i Byrti ryw ddydd. Ro'n i'n gobeithio ac yn gweddïo y byddai'r rhyfel yn dod i ben tra oedd o'n dal yn saff yn y coleg yng Nghaergaint. Dywedai Nani Mason y byddai'r cwbl drosodd erbyn y Nadolig. Ond dôi'r Nadolig bob blwyddyn, a doedd y rhyfel byth drosodd.

Rydw i'n dal i gofio pob gair o'r llythyr olaf anfonodd Byrti ata i o'r coleg.

Annwyl Mili,

Rydw i'n ddigon hen i ymuno â'r fyddin, a dyna wna i. Rydw i wedi cael llond bol ar ffensys a waliau a chlychau. Rydw i isio bod yn rhydd, ac mae'n edrych yn debyg mai dyma'r unig ffordd i wneud hynny. Ac mae angen dynion arnyn nhw.

Mi fedra i dy weld yn gwenu wrth ddarllen hwn. Dim ond bachgen rwyt ti'n ei gofio. Rydw i dros chwe throedfedd bellach, ac rydw i'n eillio ddwywaith yr wythnos. Ar fy llw! Efallai na fydda i'n sgwennu eto am dipyn, ond beth bynnag ddigwyddith mi fydda i wastad yn meddwl amdanat ti.

Byrti

A dyna'r tro olaf i mi glywed ganddo – am y tro, beth bynnag.

Llawer o Lol am Ddim Byd

Roedd y ci yn swnian wrth ddrws y gegin.

'Gad i Jac fynd allan, wnei di?' meddai'r hen wraig. 'Dyna gariad. Ddyweda i wrthat ti be wna i, mi a'i i nôl y barcud wnaeth Byrti i mi, ia? Mi fasat ti'n hoffi ei weld, yn basat?' Ac allan â hi.

Ro'n i'n ddigon hapus i adael i'r ci fynd allan a chau'r drws ar ei ôl.

Daeth y wraig yn ôl yn gynt nag o'n i wedi'i ddisgwyl.

'Dyna ni,' meddai, gan osod y barcud ar y bwrdd o 'mlaen i. 'Beth wyt ti'n feddwl o hwnna, 'ta?' Roedd o'n anferth, yn llawer mwy nag o'n i wedi'i ddisgwyl, ac yn llwch drosto. Un o gynfas brown wedi'i dynnu dros ffrâm bren oedd hwn. Roedd pob barcud ro'n i wedi'i weld cyn hynny yn fwy lliwgar, yn fwy crand. Mae'n rhaid bod y siom yn amlwg ar fy wyneb.

'Mae'n dal i allu hedfan, cofia,' meddai, gan chwythu'r llwch oddi arno. 'Mae'n werth i ti ei weld yn mynd. Mae'n werth ei weld.' Eisteddodd yn ei chadair ac arhosais iddi ailddechrau siarad.

'Reit 'ta, lle o'n i?' gofynnodd. 'Dwi mor anghofus y dyddiau hyn.'

'Llythyr olaf Byrti,' dywedais. 'Roedd o ar fin mynd i ffwrdd i'r rhyfel. Ond beth am y llew gwyn, "Y Tywysog Gwyn"? Be ddigwyddodd iddo fo?' Gallwn glywed y ci yn cyfarth yn wyllt tu allan. Gwenodd y wraig arna i.

'Hir yw pob ymaros,' meddai. 'Pam nad edrychi di drwy'r ffenest?' Edrychais. Doedd y llew ar y bryn ddim yn las bellach. Roedd o'n wyn erbyn hyn, a neidiai'r ci ar hyd ochr y bryn, yn sgrialu ar ôl cwmwl o bilipalod glas oedd yn codi o'i gwmpas.

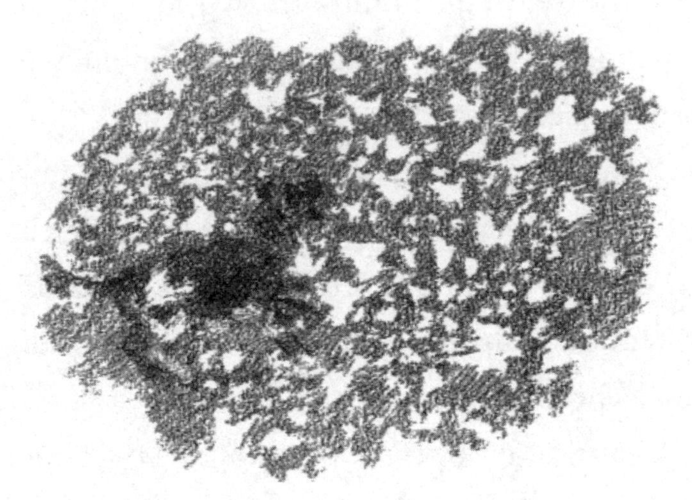

Mae o'n rhedeg ar ôl popeth sy'n symud,' meddai'r wraig. 'Ond paid â phoeni. Wnaiff o ddim dal yr un pilipala. Tydi o byth yn dal dim byd.'

'Nid y llew *yna*,' dywedais. 'Y llew yn y stori ro'n i'n feddwl. Beth ddigwyddodd iddo fo?'

'Weli di ddim? 'Run un ydyn nhw. Y llew allan yn fan'na ar y bryn a'r llew yn y stori. Yr un ydi'r ddau.'

'Dwi'm yn deall,' dywedais.

'Mi fyddi di cyn bo hir,' meddai. 'Mi fyddi cyn bo hir.' Cymerodd anadl ddofn cyn ailddechrau dweud ei stori.

****

Am flynyddoedd maith wnaeth Byrti ddim siarad am yr ymladd yn y ffosydd. Roedd o wastad yn dweud ei bod hi'n hunllef y byddai'n well ganddo'i hanghofio, a'i chadw iddo'i hun. Ond yn ddiweddarach, wedi iddo gael amser i feddwl, ac ar ôl cael amser i wella, adroddodd Byrti dipyn o'r hanes wrtha i.

Yn ddwy ar bymtheg oed, teithiai gyda'i gatrawd ar hyd ffyrdd syth gogledd Ffrainc at y frwydr, a chalonnau a meddyliau'r milwyr yn llawn gobaith a disgwyliadau. O fewn ychydig fisoedd roedd Byrti'n eistedd yn ei gwrcwd ar waelod ffos fwdlyd, ei ddwylo ar ei ben, a'i ben rhwng ei goesau, yn gwasgu ei hun mor dynn ag y gallai, yn ofni am ei fywyd wrth i'r pelenni tân a'r ffrwydradau falu'r byd o'i gwmpas yn deilchion. Yna mi fyddai'r chwiban yn canu ac mi fydden nhw allan o'r ffos ac yn mynd dros y top i Dir Neb, eu bidogau'n barod ac yn cerdded tua ffosydd yr Almaenwyr i mewn i ra-ta-tat ergydau'r gynnau peiriant. Byddai ei ffrindiau yn syrthio bob ochr iddo, a byddai yntau'n cerdded ymlaen, yn aros am y fwled honno fyddai'n ei daro unrhyw eiliad.

Wrth iddi wawrio roedd yn rhaid iddyn nhw ddod allan o'u cuddfannau a sefyll yn gefnsyth yn y ffosydd, rhag ofn y byddai ymosodiad yn dod. Roedd yr Almaenwyr yn aml yn ymosod gyda'r wawr. Dyna sut roedd hi ar fore ei ben-blwydd yn ugain oed. Symudai'r milwyr yn un haid dros Dir Neb yn haul y bore bach, ond cawson nhw eu gweld a'u taro'n syth. Wedyn roedden nhw'n troi ac yn rhedeg. Daeth sŵn y chwiban, ac arweiniodd Byrti ei ddynion dros y top i ymladd yn ôl. Ond, yn ôl yr arfer, roedd yr

Almaenwyr yn aros amdanyn nhw, a dechreuodd y lladd arferol. Cafodd Byrti ei daro'n ei goes a disgynnodd i dwll a adawyd gan un o'r bomiau. Meddyliodd am aros yno drwy'r dydd cyn cropian yn ôl i'r ffosydd yn nhywyllwch y nos, ond roedd ei glwyf yn gwaedu'n ofnadwy a fedrai o ddim atal y gwaed. Penderfynodd y byddai'n rhaid iddo drio cropian yn ôl i'r ffosydd tra bod ganddo nerth ar ôl.

Gan wasgu ei hun yn erbyn y ddaear, roedd o bron â chyrraedd y wifren, bron â chyrraedd man diogel, pan glywodd rywun yn bloeddio allan yn Nhir Neb. Roedd hi'n floedd na allai ei hanwybyddu. Daeth o hyd i ddau o'i ddynion yn gorwedd ochr yn ochr, wedi'u clwyfo mor ddrwg fel na allen nhw symud o gwbl. Roedd un ohonyn nhw eisoes yn anymwybodol. Cododd Byrti y dyn dros ei ysgwyddau a chychwyn am y ffosydd, y bwledi yn chwipio ac yn sgrechian o'i gwmpas ym mhobman. Roedd y dyn yn

drwm a disgynnodd Byrti sawl gwaith o dan bwysau'r dyn, ond llwyddodd i godi ar ei draed eto a gwegian yn ei flaen hyd nes i'r ddau ohonyn nhw ddisgyn gyda'i gilydd i lawr i'r ffos. Ceisiodd cludwyr y cleifion gario Byrti oddi yno ar stretsier. Mi fyddai'n gwaedu i farwolaeth, medden nhw. Ond wnâi o ddim gwrando. Roedd un o'i ddynion yn dal i orwedd wedi'i glwyfo ar Dir Neb, ac roedd o'n mynd i'w nôl o, ddoed a ddelo.

Gan chwifio'i ddwylo uwch ei ben, dringodd Byrti allan o'r ffos a cherdded ymlaen. Stopiodd y saethu bron ar unwaith. Roedd o mor wan erbyn hyn fel mai prin roedd o'n gallu cerdded, ond llwyddodd i gyrraedd y dyn oedd wedi'i glwyfo a'i lusgo yn ôl. Roedd sôn bod y milwyr ar y ddwy ochr, yr Almaenwyr a'r Prydeinwyr, yn annog Byrti tua'r llinell. Yna roedd dynion eraill yn rhedeg i'w helpu a doedd o'n cofio dim ar ôl hynny.

Pan ddaeth ato'i hun roedd o'n gorwedd

mewn gwely yn yr ysbyty, gyda'r ddau ffrind roedd o wedi'u hachub bob ochr iddo. Roedd o'n dal yno wythnosau yn ddiweddarach pan gafodd wybod y byddai'n cael ei anrhydeddu â Chroes Fictoria am ei ddewrder ar faes y gad. Roedd o'n arwr, a'i gatrawd yn falch tu hwnt ohono.

Byddai Byrti wastad yn dweud ei fod yn 'llawer o lol am ddim byd'. I fod yn ddewr go iawn, roedd yn rhaid i rywun drechu'r ofn. Mae'n rhaid i rywun fod ag ofn i ddechrau, a doedd dim ofn arno. Doedd dim amser i ofni.

Mi wnaeth yr hyn wnaeth o heb feddwl, yn union fel roedd o wedi achub y cenau llew yr holl flynyddoedd yn ôl pan oedd o'n fachgen yn Affrica. Wrth gwrs, roedd pawb yn ffysian drosto yn yr ysbyty, ac roedd o'n mwynhau hynny, ond doedd ei goes ddim yn gwella cystal ag y dylai. Roedd Byrti yn dal yn yr ysbyty pan ddes i o hyd iddo.

Nid ar ddamwain y des i o hyd iddo. Ers dros dair blynedd bellach doeddwn i ddim wedi derbyn 'run llythyr, doeddwn i ddim wedi clywed gair ganddo. Roedd o wedi fy rhybuddio i, dwi'n gwybod, ond roedd hi'n anodd dioddef y tawelwch maith. Bob tro byddai'r postmon yn dod, ro'n i'n gobeithio, ac roedd y siom yn fwy poenus bob tro pan nad oedd llythyr ganddo. Dywedais y cwbl wrth Nani Mason – sychodd hi fy nagrau a dweud wrtha i am weddïo, ac y byddai hi'n gweddïo hefyd. Roedd hi'n siŵr y dôi llythyr cyn bo hir.

Heb Nani dwn i ddim sut y byddwn i wedi

dal ati. Ro'n i mor ddigalon. Gwelais y dynion yn dod yn ôl o Ffrainc wedi'u clwyfo, yn ddall, wedi'u mygu gan nwy, yn gloff, ac ofnwn weld wyneb Byrti yn eu plith. Gwelais y rhestrau hir yn y papurau newydd o'r dynion oedd wedi'u lladd neu 'ar goll'. Mi o'n i'n chwilio am ei enw bob dydd ac yn diolch i Dduw pan na fyddwn yn ei weld. Ond doedd dim llythyr o hyd, ac roedd yn rhaid i mi gael gwybod pam. Meddyliais efallai ei fod o wedi cael ei anafu mor ddrwg nes ei fod o'n methu sgwennu, ei fod o'n gorwedd ar ei ben ei hun mewn rhyw ysbyty, heb neb yn gofalu amdano. Felly penderfynais fynd yn nyrs. Mi fyddwn i'n mynd i Ffrainc, ac yn mendio ac yn cysuro cymaint ag y gallwn i, gan obeithio y byddwn i'n dod o hyd iddo, rywsut. Ond buan iawn y sylweddolais y byddai chwilio amdano yng nghanol yr holl ddynion mewn gwisg milwr yn anobeithiol. Doeddwn i ddim hyd yn oed yn gwybod ym mha gatrawd na rheng roedd o. Doedd gen i ddim syniad lle i ddechrau.

Cefais fy anfon i ysbyty tua hanner can milltir o'r ffosydd, ger Amiens. Hen gastell oedd yr ysbyty, gyda thyrau bychain a grisiau mawr llydan, a siandelïers yn y wardiau. Ond roedd hi mor oer yn y gaeaf nes bod yr un nifer o ddynion yn marw o'r oerfel ag oedd yn marw o'u clwyfau. Roedden ni'n gwneud ein gorau i'w helpu nhw, ond doedd dim digon o ddoctoriaid, nac o foddion ar gael. Roedd yr ysbyty yn llawn dynion, a'u clwyfau mor, mor erchyll. Roedd o'n achos o lawenydd mawr bob tro roedden ni'n achub bywyd un ohonyn nhw. Yng nghanol yr holl ddioddefaint o'n cwmpas, roedden ni angen ychydig o lawenydd, ar fy ngwir.

Amser brecwast oedd hi – Mehefin 1918. Roeddwn i'n darllen cylchgrawn, yr *Illustrated London News*, dwi'n cofio, ac wrth i mi droi tudalen gwelais wyneb wnes i ei adnabod yn syth. Roedd o'n hŷn, a'i wyneb yn deneuach heb wên ar ei gyfyl, ond roeddwn i'n siŵr mai Byrti oedd o. Roedd ei lygaid yn ddwfn ac yn addfwyn, yn union fel ro'n i'n eu cofio. A dyna lle roedd ei enw: 'Capten Albert Andrews VC'. Roedd yna erthygl gyfan o dan y llun yn sôn am yr hyn roedd o wedi'i wneud, a'i fod yn dal i wella mewn ysbyty ddeng milltir i ffwrdd. Roedd yn rhaid i mi fynd i'w weld. Es yno ar fy meic y dydd Sul canlynol.

Roedd o'n cysgu pan welais i o gyntaf, ei ben ar y gobennydd, ac un llaw tu ôl i'w ben.

'Helô,' dywedais.

Agorodd Byrti ei lygaid a chrychu ei dalcen. Cymerodd eiliad neu ddwy i f'adnabod i.

'Wyt ti wedi bod mewn brwydr?' gofynnais.

'Rhywbeth felly,' atebodd.

Y Tywysog Gwyn

Dywedon nhw y byddwn i'n cael mynd ag o allan yn ei gadair olwyn bob dydd Sul cyn belled â fy mod i ddim yn ei flino gormod, a chyn belled â'i fod o 'nôl erbyn swper. Fel y dywedodd Byrti, roedd yn union fel ein dyddiau Sul ni ers talwm. Dim ond un lle oedd yna i fynd, sef pentref bach tua milltir i ffwrdd. Doedd dim llawer o'r pentref ar ôl – ambell stryd o dai wedi'u chwalu, eglwys oedd â'r clochdy wedi mynd a'i ben iddo, a chaffi ar y sgwâr, oedd yn dal yn gyfan, diolch byth. Mi fyddwn i'n ei wthio yn ei gadair ran o'r ffordd ac mi fyddai o'n hercian ar ei ffon pan oedd o'n teimlo'n ddigon cryf.

Gan amlaf mi fydden ni'n eistedd yn y caffi ac yn sgwrsio, neu'n cerdded ar hyd glan yr afon ac yn sgwrsio. Roedd gandddon ni werth blynyddoedd o siarad i'w wneud.

Doedd o ddim wedi sgwennu, meddai, gan ei fod yn meddwl bob dydd, ar faes y gad, mai hwnnw fyddai ei ddiwrnod olaf, ac y gallai fod yn gorff erbyn machlud haul. Roedd cymaint o'i ffrindiau wedi marw. Roedd o isio i mi anghofio amdano, fel na fyddwn i'n gwybod ei fod o wedi marw, ac na fyddwn i'n cael fy mrifo. Fedri di ddim galaru am rywbeth nad wyt ti'n gwybod amdano, meddai. Wnaeth o erioed feddwl y byddai'n goroesi, y byddai'n fy ngweld i eto.

Yn ystod un o'n tripiau dydd Sul sylwais ar y poster ar draws y ffordd, ar wal yr hyn oedd ar ôl o'r swyddfa bost. Roedd y lliwiau wedi pylu a'r hanner isaf wedi'i rwygo, ond ar y top roedd yr ysgrifen yn glir. Roedd yr ysgrifen yn Ffrangeg. *Cirque Merlot* roedd yn ei ddweud, ac o dan hynny: *Le Prince Blanc* – Y

Tywysog Gwyn! Ac wrth graffu arno, roedd llun o lew yn rhuo, llew gwyn. Roedd Byrti wedi'i weld hefyd.

'Fo ydi o!' anadlodd. 'Mae'n rhaid mai fo ydi o!' Heb unrhyw gymorth roedd o wedi codi o'i gadair, ac efo'i ffon yn ei law roedd o'n hercian ar draws y ffordd tua'r caffi.

Roedd perchennog y caffi yn sychu'r byrddau ar y palmant y tu allan.

'Y Syrcas,' dechreuodd Byrti, gan bwyntio

at y poster. Doedd o ddim yn siarad llawer o Ffrangeg, felly dechreuodd weiddi yn Saesneg. 'Dach chi'n gwybod, llewod, eliffantod, clown!'

Edrychodd y dyn arno â golwg ddi-glem ar ei wyneb, a chodi ei ysgwyddau. Felly dechreuodd Byrti ruo fel llew a rhwygo'r awyr â chrafangau dychmygol. Mi welwn i wynebau wedi cynhyrfu yn ffenest y caffi, a cherddodd y dyn tuag yn ôl yn araf bach gan ysgwyd ei ben. Rhwygais y poster oddi ar y wal a dod â fo ato. Roedd fy Ffrangeg i ychydig yn well na Ffrangeg Byrti. Deallodd perchennog y caffi ar ei union.

'*A*,' meddai, gan wenu mewn rhyddhad. '*Monsieur Merlot. Le cirque. C'est triste, très triste.*' Ac aeth yn ei flaen mewn Saesneg bratiog. 'Y Syrcas. Mae hi wedi gorffen. Trist, trist iawn. Y milwyr, wyddoch chi, roedden nhw isio cwrw a gwin, a merched hefyd. Dydyn nhw ddim isio'r syrcas. Does neb yn dod, felly, Monsieur Merlot, mae'n rhaid iddo gau'r syrcas. Ond be fedrith o wneud efo'r anifeiliaid? Mae'n cadw nhw. Mae'n bwydo nhw. Ond daeth y bomiau, mwy a mwy yn dod o hyd, a'i dŷ – sut ydach chi'n dweud – yn chwalu. Llawer o'r anifeiliaid yn marw. Ond Monsieur Merlot, mae'n aros. Yn cadw dim ond yr eliffantod, y mwncïod, a'r llew, "Y Tywysog Gwyn". Mae pawb yn caru'r Tywysog Gwyn. Y fyddin yn cymryd gwair y ceffylau. Does dim bwyd i'r anifeiliaid. Felly Monsieur Merlot yn estyn y gwn ac yn gorfod eu saethu nhw. Dim mwy o syrcas. Gorffen. *Triste, très triste.*'

'Pob anifail?' llefodd Byrti. 'Wnaeth o saethu pob anifail?'

'Naddo,' meddai'r dyn. 'Dim pob un. Fo wedi cadw'r Tywysog Gwyn. Wedi methu saethu'r Tywysog Gwyn, byth. Monsieur Merlot wedi dod â fo o Affrica amser maith yn ôl. Y llew mwyaf enwog drwy Ffrainc i gyd. Fo'n caru llew fel mab. Y llew – gwneud Monsieur Merlot dyn cyfoethog. Fo wedi colli popeth. Rŵan, dim byd gyda fo, dim ond y Tywysog Gwyn. Mae'n wir. Dwi'n meddwl nhw'n marw efo'i gilydd. Efallai wedi yn barod. Pwy a ŵyr?'

'Y Monsieur Merlot yma,' meddai Byrti, 'ble mae o'n byw? Ble fedra i ddod o hyd iddo?' Pwyntiodd y dyn at y ffordd allan o'r pentref.

'Tua saith neu wyth cilomedr,' meddai. 'Hen dŷ wrth yr afon. Dros y bont ac ar y chwith. Ddim rhy bell. Ond efallai fod

Monsieur Merlot ddim yno bellach. Efallai fod y tŷ ddim yno bellach. Pwy a ŵyr?' A gan godi ei ysgwyddau am y tro olaf, trodd ar ei sawdl a mynd i mewn i'r caffi.

Roedd lorïau'r fyddin yn dal i deithio drwy'r pentref, felly doedd hi ddim yn anodd cael lifft. Gadawon ni'r gadair olwyn yn y caffi. Mi fyddai dan draed, meddai Byrti, mi fyddai'n ymdopi'n iawn efo'i ffon. Daethon ni o hyd i'r tŷ – tŷ wrth felin, dros y bont, yn union fel yr oedd perchennog y caffi wedi'i ddweud. Doedd dim llawer ohono ar ôl. Roedd yr holl feudái a'r cytiau o'i gwmpas wedi'u llosgi, a'u hadfeilion yn ddu gan y tân. Dim ond ar y prif dŷ roedd to, ond roedd hwnnw hefyd wedi'i ddifrodi. Roedd twll mawr yn un cornel o'r adeilad, a hwnnw wedi hanner ei guddio dan gynfas a chwifiai yn y gwynt. Doedd hi ddim yn edrych fel petai unrhyw un yno.

Curodd Byrti ar y drws nifer o weithiau, ond doedd dim ateb. Roedd y lle yn fy nychryn i. Ro'n i isio gadael ar unwaith, ond doedd Byrti ddim yn fodlon. Wrth iddo wthio'r drws yn ysgafn, agorodd led y pen. Roedd popeth yn dywyll y tu mewn. Do'n i ddim isio mynd i mewn ond gafaelodd Byrti yn dynn yn fy llaw.

'Mae o yma,' sibrydodd. 'Mi fedra i ei arogli.'

Ac roedd o'n iawn. Roedd yna arogl drewllyd yn y tŷ, arogl oedd ddim yn gyfarwydd i mi o gwbl.

'*Qui est là*?' meddai llais o dywyllwch y stafell. '*Qu'est-ce que vous voulez?*' Siaradai mor dawel, prin fod posib ei glywed uwchben llif yr afon y tu allan. Mi fedrwn i weld siâp gwely mawr o dan y ffenest ym mhen arall y stafell. Gorweddai dyn yno, a'i gefn yn pwyso yn erbyn mynydd o glustogau.

'Monsieur Merlot?' gofynnodd Byrti.

'*Oui?*' Wrth i ni gerdded tuag ato gyda'n gilydd, aeth Byrti yn ei flaen. 'Byrti Andrews ydw i. Flynyddoedd maith yn ôl fe ddaethoch chi i fy fferm i yn Affrica, ac fe brynoch chi lew bach gwyn. Ydi o'n dal gennych chi?'

Fel petai yn ateb y cwestiwn, trodd y flanced wen oedd ar droed y gwely yn llew, cododd o'r gwely, rhoi naid a dechrau cerdded tuag atom ni, a sŵn griddfan mawr yn ei wddf. Rhewais yn fy unfan wrth i'r llew gerdded yn syth amdanom ni.

'Mae'n iawn, Mili. Wneith o ddim ein brifo ni,' meddai Byrti, gan roi ei fraich amdanaf. 'Rydan ni'n hen ffrindiau.' Gan udo a griddfan, rhwbiodd y llew ei hun yn erbyn Byrti mor galed nes bod raid i ni ddal ein gilydd rhag i ni ddisgyn.

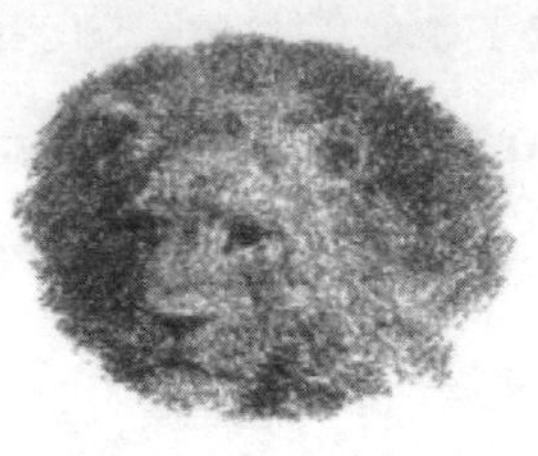

Gwyrth, Gwyrth!

Llygadodd y llew Byrti am funud neu ddau. Distawodd yr udo, a dechreuodd rochian a griddfan mewn pleser wrth i Byrti fwytho'i fwng a chrafu rhwng ei lygaid.

'Wyt ti'n fy nghofio i?' gofynnodd i'r llew. 'Wyt ti'n cofio Affrica?'

'Ti ydi'r un? Ai breuddwydio ydw i?' meddai Monsieur Merlot. 'Ti oedd y bachgen yn Affrica, yr un wnaeth drio'i ollwng o'n rhydd?'

'Dwi wedi tyfu tipyn,' meddai Byrti, 'ond ie, fi ydi o.' Ysgydwodd Monsieur Merlot law Byrti'n wresog wrth i'r llew droi ei sylw ata i, gan lyfu fy llaw efo'i dafod garw a chynnes. Gwasgais fy nannedd yn dynn a gobeithio nad oedd o am ei bwyta.

'Mi wnes i bopeth allwn i,' meddai Monsieur Merlot gan ysgwyd ei ben. 'Ond edrychwch arno rŵan. Tydi o'n ddim ond croen ac asgwrn, fel fi. Mae fy anifeiliaid i gyd wedi mynd, pob un ond *Le Prince Blanc*. Fo ydi'r cwbl sydd gen i ar ôl. Roedd yn rhaid i mi saethu fy eliffantod, oeddech chi'n gwybod hynny? Roedd yn rhaid i mi. Be arall allwn i ei wneud? Doedd yna ddim bwyd ar eu cyfer nhw. Allwn i ddim gadael iddyn nhw lwgu, na allwn?'

Eisteddodd Byrti ar y gwely, rhoi ei fraich am wddw'r llew a chladdu ei wyneb yn ei fwng. Rhwbiodd y llew yn ei erbyn, ond roedd o'n dal i edrych arna i. Mi gadwais i'n ddigon pell, wir i ti. Allwn i ddim peidio â meddwl am y ffaith fod llewod yn bwyta pobl, yn enwedig os ydyn nhw'n llwglyd. Ac roedd y llew hwn yn llwglyd iawn. Roedd ei asennau a'i esgyrn i'w gweld yn glir.

'Peidiwch â phoeni, *monsieur*,' meddai Byrti. 'Mi wna i ffeindio bwyd i chi. Mi wna i ffeindio digon o fwyd i'r ddau ohonoch chi. Dwi'n addo.'

Roedd gyrrwr yr ambiwlans wnaeth stopio wedi i mi chwifio fy mreichiau, yn meddwl mai dim ond rhoi lifft i nyrs yn ôl i'r pentref roedd o. Roedd o, fel y galli di ddychmygu, ychydig yn fwy cyndyn pan welodd yr hen ddyn, ac wedyn Byrti, a hyd yn oed yn fwy cyndyn pan welodd o lew mawr gwyn llwglyd.

Llyncai'r gyrrwr ei boer yn aml, a ddywedodd o 'run gair yr holl ffordd, dim ond nodio'i ben yn dawel pan ofynnodd Byrti iddo ein gollwng yn sgwâr y pentref. A dyna lle roedden ni, hanner awr yn ddiweddarach, y pedwar ohonon ni'n eistedd yn yr haul, y llew wrth ein traed yn cnoi asgwrn enfawr roedd y cigydd wedi bod yn fwy na bodlon ei werthu i ni. Bwytodd Monsieur Merlot lond plât o datws wedi'u ffrio, mewn distawrwydd, cyn gorffen ei bryd gyda photel gyfan o win coch. Dechreuodd criw o bobl leol gasglu o'n cwmpas ni, milwyr Ffrengig, milwyr Prydeinig – pawb yn cadw hyd braich. Drwy gydol yr amser roedd Byrti yn crafu pen y llew, reit rhwng ei lygaid.

'Roedd o wastad yn hoffi cael ei grafu yn fan'na,' meddai Byrti, gan wenu arna i. 'Mi ddywedais i y baswn i'n dod o hyd iddo, yn do?' aeth yn ei flaen. 'Doeddwn i erioed yn siŵr a oeddet ti'n fy nghredu i.'

'Wel, mi o'n i,' atebais, cyn ychwanegu, 'ar ôl sbel, beth bynnag.' A dyna oedd y gwir. Dwi'n meddwl bod hynny'n esbonio pam ro'n i mor ddigyffro am ddigwyddiadau'r bore hwnnw. Dydi hi byth yn syndod llwyr pan mae rhywbeth sy'n cael ei broffwydo neu ei ddymuno yn cael ei wireddu. Fedr proffwydoliaeth sy'n dod yn wir, fel dymuniad sy'n cael ei wireddu – ac roedd hyn yn broffwydoliaeth ac yn ddymuniad – fyth fod yn syndod llwyr.

Wrth i ni eistedd yno y tu allan i'r caffi yn sipian ein gwin, penderfynodd y tri ohonon ni beth ddylid ei wneud efo'r Tywysog Gwyn. Roedd Monsieur Merlot yn crio ac yn dweud

bod y cwbl yn '*un miracle, un miracle*', ac yna byddai'n sychu ei ddagrau eto, ac yn yfed gwydraid arall o win. Roedd o'n hoffi gwin.

Syniad Byrti oedd yr holl beth. A bod yn onest, allwn i ddim gweld sut y byddai'r cynllun yn gweithio. Ond mi ddylwn i fod wedi gwybod yn well. Dylwn i fod yn gwybod y byddai Byrti am fynd â'r maen i'r wal, unwaith roedd o wedi penderfynu gwneud rhywbeth.

Wrth i ni gerdded gyda'r llew trwy'r pentref, Byrti yn pwyso ar y llew, a minnau'n gwthio Monsieur Merlot yn ei gadair olwyn, rhannodd y dorf yn ddwy i adael i ni fynd drwyddi. Yna dechreuon nhw ein dilyn ni, o bellter wrth gwrs, i fyny'r ffordd tuag at ysbyty Byrti. Mae'n rhaid bod rhywun wedi mynd o'n blaenau ni i'w rhybuddio nhw, oherwydd mi welon ni griw o ddoctoriaid a nyrsys yn sefyll ar y grisiau, ac roedd pobl yn edrych allan o bob ffenest. Wrth i ni nesáu at yr ysbyty, cerddodd swyddog tuag aton ni – cyrnol oedd o.

Saliwtiodd Byrti. 'Syr,' dechreuodd, 'mae

Monsieur Merlot yn hen ffrind i mi. Mi fydd angen gwely arno yn yr ysbyty. Mae o angen gorffwys, syr, a llawer o fwyd da. Ac yr un fath i'r llew. Felly tybed, syr, a fyddai ots gennych chi ein bod yn defnyddio'r ardd â wal o'i chwmpas y tu ôl i'r ysbyty. Mae 'na sied yno lle gallai'r llew gysgu. Mi fyddai'n saff, ac mi fydden ninnau hefyd. Dwi'n ei adnabod o. Dydi o ddim yn bwyta pobl. Mae Monsieur Merlot wedi dweud y ca' i fynd â'r llew yn ôl i Loegr efo fi os galla i ei fwydo, a gofalu amdano.'

'Wel, mae gen ti wyneb!' poerodd y cyrnol wrth gerdded i lawr y grisiau. 'Pwy ar wyneb y ddaear wyt ti'n feddwl wyt ti?' meddai. A dyna pryd y gwnaeth o adnabod Byrti. 'Ti ydi'r llanc ifanc wnaeth ennill y VC, yntê?' meddai, yn llawer mwy cwrtais mwya' sydyn. 'Andrews, ie?'

'Ie, syr, ac rydw i isio mynd â'r llew yn ôl i Loegr, pan fydda i'n gadael. Mae gennym rywle iddo fyw,' a throdd ata i. 'Yn does?' gofynnodd.

'Oes,' atebais.

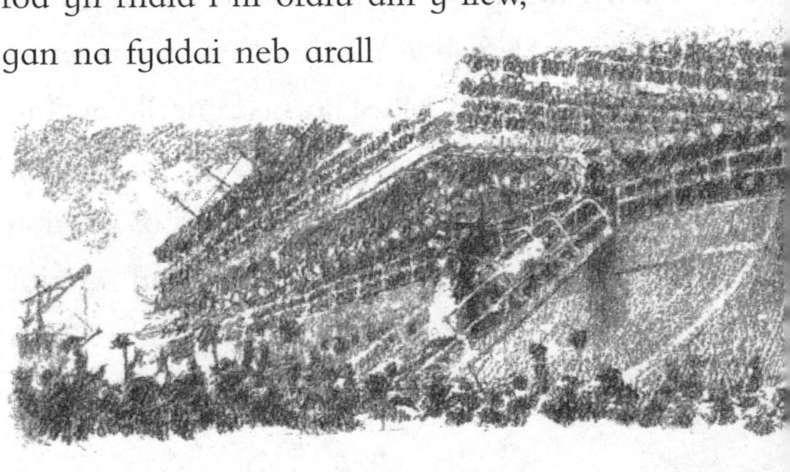

Doedd hi ddim yn hawdd perswadio'r cyrnol. Mi ddechreuodd ddangos ychydig o gydymdeimlad pan ddywedon ni wrtho fod yn rhaid i ni ofalu am y llew, gan na fyddai neb arall yn gwneud, neu byddai'n rhaid iddo gael ei saethu. Llew, symbol Prydain, yn cael ei saethu! Fyddai'n gwneud dim lles i hwyliau'r milwyr, mynnai Byrti. A gwrandawodd y cyrnol.

Doedd hi ddim haws perswadio pobl bwysig Prydain i adael i'r llew ddod yn ôl adref pan ddaeth y rhyfel i ben, ond fe lwyddodd Byrti rywsut. Doedd o ddim yn derbyn 'na' yn ateb gan neb. Mi ddywedodd wedyn mai i'r fedal roedd y diolch, a heb y Groes Fictoria fawreddog yn gefn iddo fyddai o byth wedi llwyddo, a fyddai'r Tywysog Gwyn byth wedi cael dod adref.

Pan lanion ni yn Dover, roedd band yn chwarae a'r fflagiau'n chwifio, ac roedd ffotograffwyr a newyddiadurwyr o'r papurau newydd ym mhobman. Cerddodd y Tywysog Gwyn oddi ar y llong wrth ochr Byrti a chael ei groesawu fel petai'n arwr.

'Llew Prydain yn Dychwelyd Adref,' oedd pennawd y papurau newydd drannoeth.

Felly mi ddaethon ni yn ôl yma i Strawbridge – Byrti, y Tywysog Gwyn a fi. Mi briodais i a Byrti yn eglwys y pentref. Dwi'n cofio Byrti yn dadlau â'r ficer am nad oedd o'n gadael i'r llew fod yn yr eglwys yn ystod y briodas. Ro'n i'n reit falch o hynny – ond wnes i erioed ddweud hynny wrth Byrti. Roedd Nani Mason wrth ei bodd efo Byrti a'r Tywysog Gwyn, ond roedd hi'n mynnu ei olchi yn aml, am ei fod o'n drewi – y llew, nid Byrti. Arhosodd Nani Mason efo ni'n tri – 'ei thri phlentyn' roedd hi'n arfer ein galw ni – tan iddi ymddeol i bentref glan y môr yn Nyfnaint.

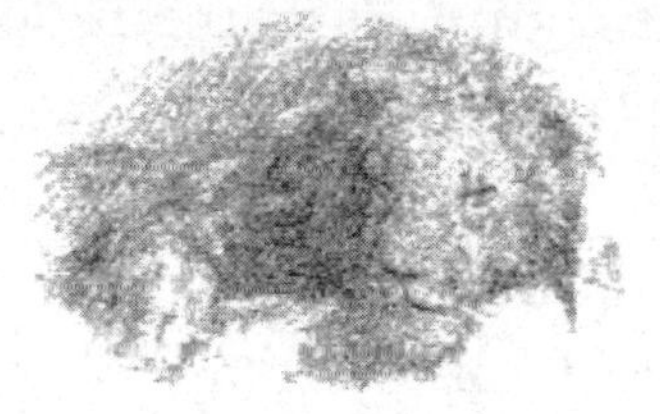

Y Llew Pilipala

Chawsom ni ddim plant ein hunain – dim ond y Tywysog Gwyn – a wir i ti, roedd o'n ddigon o deulu i unrhyw un. Roedd o'n crwydro'n rhydd yn y parc yn union fel roedden ni wedi'i gynllunio, yn rhedeg ar ôl y ceirw a'r cwningod fel y mynnai, ond wnaeth o erioed ddysgu lladd drosto'i hun. Fyddai hynny'n ormod o gamp i hen lew. Roedd o'n byw yn fras, gan fwyta cig carw yn bennaf, ac roedd o'n cysgu ar soffa ar ben y grisiau – do'n i ddim yn gadael iddo gysgu yn ein llofft ni, waeth faint o weithiau roedd Byrti'n gofyn. Mae'n rhaid dweud na weithiau.

Wnaeth coes Byrti byth wella'n llwyr. Roedd hi'n reit boenus, ac roedd o angen ffon i bwyso arni'n aml, neu mi fyddai'n pwyso arna i, neu'r llew. Roedd y goes yn achosi llawer o boen iddo, yn enwedig pan oedd y tywydd yn oer ac yn wlyb, a doedd Byrti byth yn cysgu'n dda. Ar ddydd Sul arferai'r tri ohonon ni grwydro yn y parc efo'n gilydd, ac mi fyddai'n eistedd ar ben Bryn Coed â'i fraich am wddw ei hen ffrind ac mi fyddwn i'n hedfan fy marcud. Ac fel y gwyddost ti, rydw i wedi hoffi barcutiaid erioed, ac roedd y llew hefyd, mae'n amlwg – roedd o'n neidio arnyn nhw wrth iddyn nhw lanio, yn eu llarpio a'u rhwygo nhw'n ddarnau.

Doedd gan y llew ddim diddordeb mewn rhedeg i ffwrdd, a hyd yn oed petai o isio, roedd waliau'r parc yn rhy uchel i hen lew neidio drostyn nhw. Ble bynnag yr âi Byrti mi âi'r llew hefyd. Pan fyddai Byrti yn mynd yn y car mi fyddai'n eistedd wrth fy ymyl ger y popty yn y gegin, ac yn edrych arna i efo'i lygaid melyngoch mawr, yn aros am sŵn car Byrti ar y cerrig mân o flaen y tŷ.

Bu'r llew fyw i oedran teg. Ond roedd ei goesau'n stiff ac roedd o'n methu gweld llawer tua'r diwedd. Treuliodd ei ddyddiau olaf yn cysgu ar ei hyd wrth draed Byrti, yn union lle wyt ti'n eistedd rŵan. Pan fuodd y llew farw, mi gladdon ni o ar waelod y bryn allan yn fan'cw. Roedd Byrti eisiau hynny er mwyn iddo fedru ei weld o ffenest y gegin. Cynigiais ein bod yn plannu coeden, rhag ofn i ni anghofio lle roedd o wedi'i gladdu.

'Wna i byth anghofio,' meddai'n bendant. 'Byth. A beth bynnag, mae'n haeddu llawer gwell na choeden.'

Bu Byrti'n galaru am wythnosau, am fisoedd ar ôl i'r llew farw. Doedd dim byd y gallwn i ei wneud i godi ei galon. Mi fyddai'n eistedd am oriau yn ei stafell, neu'n mynd am dro hir ar ei ben ei hun. Roedd o fel petai o wedi cau ei hun i mewn, yn bell oddi wrtha i. Er gwaetha fy ymdrechion, fedrwn i ddim cyrraedd ato.

Yna un diwrnod roeddwn i yma yn y gegin, pan welais i o'n brysio i lawr y bryn, yn chwifio'i ffon ac yn galw arna i.

'Dwi'n gwybod,' gwaeddodd, wrth ddod i mewn. 'Dwi'n gwybod beth wnawn ni.' Dangosodd ben ei ffon i mi. Roedd hi'n wyn.

'Wyt ti'n gweld, Mili? Sialc. Sialc ydi hwnna, yntê?'

'Wel?' gofynnais.

'Wyddost ti'r Ceffyl Gwyn enwog ar ochr y bryn yn Uffington, yr un wnaethon nhw ei gerfio efo sialc fil o flynyddoedd yn ôl? Wnaeth y ceffyl yna ddim marw, naddo? Mae o'n dal yn fyw, tydi? Wel, dyna be 'dan ni'n mynd i'w wneud, fel na chaiff y llew byth mo'i anghofio. Mi gerfiwn ni'r Tywysog Gwyn ar y bryncyn – ac mi fydd o yno am byth, ac mi fydd o'n wyn am byth hefyd.'

'Mi gymerith dipyn o amser, gwneith?' dywedais.

'Mae ganddon ni ddigon o amser, yn does?' atebodd Byrti, gan wenu'r un wên â honno wenodd arna i pan oedd o'n fachgen bach deg oed yn gofyn a gâi ddod yn ôl i drwsio fy marcud.

Mi gymerodd yr ugain mlynedd nesaf i'w wneud. Bob awr rydd oedd ar gael, dyna lle roedden ni'n crafu â rhawiau a thryweli, ac roedd ganddon ni fwcedi a sawl berfa i gario'r ddaear a'r glaswellt oddi yno. Roedd o'n waith caled a blinedig, ond llafur cariad oedd o. Byrti a fi wnaeth y cwbl, mi wnaethon ni o gyda'n gilydd – y pawennau, y crafangau, y gynffon a'r mwng, tan ei fod o'n gyfan a phob manylyn yn berffaith.

Ar ôl i ni orffen y daeth y pilipalod am y tro cyntaf. Pan ddôi'r haul allan ar ôl cawod o law yn yr haf, byddai'r pilipalod – gleision Adonis ydi eu henwau nhw, edrychais i mewn llyfr – yn dod i yfed ar wyneb y calch. Ac yna byddai'r Tywysog Gwyn yn troi'n llew pilipala, ac yn anadlu eto fel creadur byw.

A rŵan rwyt ti'n gwybod sut y daeth llew gwyn Byrti i fod yn Dywysog Gwyn, a sut y daeth y Tywysog Gwyn i fod yn llew pilipala.

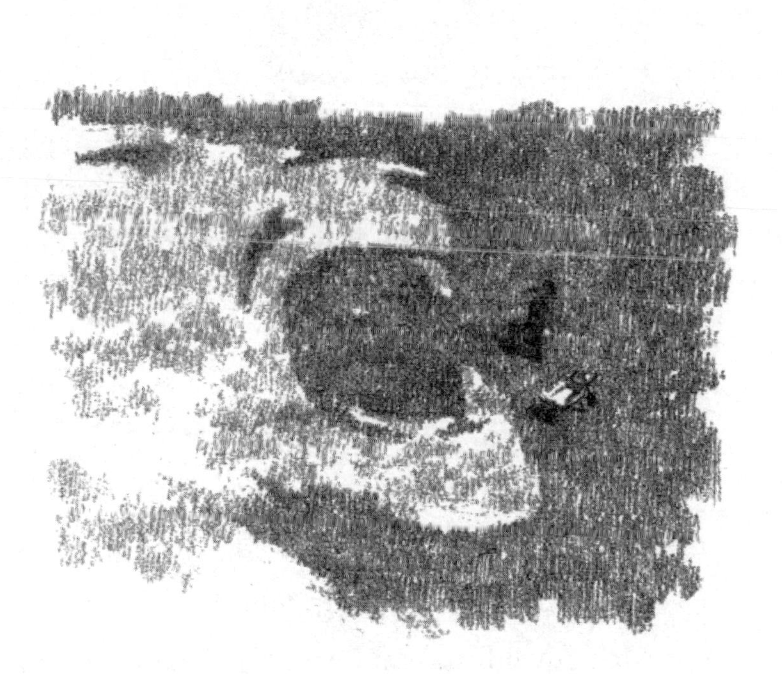

Fe Drig y Llew gyda'r Oen

Trodd yr hen wraig ata i a gwenu. 'Dyna ni,' meddai. 'Dyna fy stori.'

'A be am Byrti?' Mi wyddwn wrth agor fy ngheg na ddylwn i fod wedi gofyn. Ond roedd yn rhaid i mi gael gwybod.

'Mae o wedi marw, cariad,' atebodd yr hen wraig. 'Dyna sy'n digwydd pan wyt ti'n hen. Does dim isio poeni am y peth. Ond mae'n fywyd unig. Dyna pam bod Jac gen i. Ac mi fu Byrti, fel ei lew, fyw i oedran teg. Mae o wedi'i gladdu allan yn fan'cw o dan y bryn wrth ymyl y Tywysog Gwyn.' Edrychodd yn ôl ar y bryn am eiliad. 'A dyna lle rydw innau i fod hefyd,' meddai.

Tapiodd y bwrdd â'i bysedd.

'Tyrd rŵan. Mae'n amser mynd. Yn ôl am yr ysgol 'na cyn iddyn nhw sylw dy fod ti wedi mynd, a thithau'n cael dy hun mewn trwbl. 'Dan ni ddim isio hynny, nac ydan?' Chwarddodd. 'Wsti be, dyna'n union be ddywedais i wrth Byrti yr holl flynyddoedd yn ôl pan oedd o wedi rhedeg i ffwrdd o'r ysgol. Wyt ti'n cofio?' Roedd hi wedi codi ar ei thraed erbyn hyn.

'Tyrd, mi a' i â ti yn y car. A phaid ag edrych mor boenus. Mi wna i'n siŵr nad oes neb yn dy weld di. Mi fydd fel petait ti erioed wedi bod oddi yno.'

'Ga i ddod yma eto?' gofynnais.

'Wrth gwrs y cei di,' meddai. 'Fydda i ddim bob amser yn hawdd fy ffeindio, ond mi fydda i yma. Gad i mi glirio'r llestri te ac mi awn ni wedyn, iawn?'

Roedd o'n gar hen ffasiwn iawn, yn ddu ac urddasol, gydag arogl lledr ac injan swnllyd. Gollyngodd fi wrth waelod parc yr ysgol, wrth y ffens.

'Cymer ofal, cariad,' meddai. 'A thyrd eto yn fuan, wnei di? Mi fydda i'n dy ddisgwyl di.'

'Mi ddo' i,' atebais. Dringais dros y ffens cyn troi i godi llaw, ond erbyn hynny roedd y car wedi mynd.

Diolch byth, doedd neb wedi sylwi mod i wedi mynd. Ac yn well na dim roedd Beaumont Brwnt yn stafell y nyrs. Roedd o wedi cael y frech goch. Ro'n i'n gobeithio y byddai'r frech goch arno am yn hir iawn

iawn. Trwy gydol amser swper yr unig beth allwn i feddwl amdano oedd Byrti Andrews a'i lew gwyn. Stiw a thwmplenni ac wedyn pwdin semolina efo jam mafon – eto! Wrth i mi bigo trwy'r semolina llysnafeddog mi gofiais i fod Byrti Andrews wedi bod yn yr ysgol yma hefyd. Efallai, meddyliais, ei fod wedi gorfod eistedd yn fan'ma a bwyta pwdin semolina llysnafeddog yn union fel ni.

Edrychais ar restrau'r anrhydeddau ar waliau'r neuadd fwyta, ar enwau'r holl fechgyn oedd wedi ennill ysgoloriaethau dros y blynyddoedd. Edrychais am enw Byrti Andrews. Doedd o ddim yno. Ond eto, pam fyddai o? Efallai nad oedd o'n wych am wneud gwaith ysgol, fel fi. Tydi pawb ddim yn ennill ysgoloriaethau.

Roedd Cwci – Mr Cook – fy athro hanes yn eistedd wrth fy ymyl ar ben y bwrdd.

'Am bwy oeddet ti'n chwilio, Morpurgo?' gofynnodd yn sydyn.

'Andrews, syr,' atebais. 'Byrti Andrews.'

'Andrews? Andrews? Mae 'na Albert Andrews enillodd Groes Fictoria yn y Rhyfel Byd Cyntaf. Fo wyt ti'n feddwl?' Crafodd Cwci ei ddysgl yn lân a llyfu cefn ei lwy.

'Dwi wrth fy modd efo jam mafon. Mi ddoi di o hyd i'w enw yn y capel, wrth ffenestr y dwyrain, o dan y gofeb rhyfel. Ond chafodd o mo'i ladd yn y rhyfel, wyddost ti. Roedd o'n byw yn Strawbridge, y lle efo llew wrth y fynedfa, ar draws y ffordd. Mi fuodd o farw ddeg neu ddeuddeg mlynedd yn ôl, yn fuan ar ôl i mi ddod yma i ddysgu. Yr unig gyn-ddisgybl i ennill Croes Fictoria. Dyna pam y rhoddon nhw gofeb iddo yn y capel ar ôl iddo farw. Dwi'n cofio'r diwrnod y daeth ei wraig i ddadorchuddio'r gofeb – ei wraig weddw, ddylwn i ddweud. Y greadures fach, dim ond hi a'i chi yn y lle mawr 'na. Mi fuodd hi farw ychydig fisoedd ar ei ôl o. O dorcalon, meddai rhai. Mae hynny'n bosib, wyddost ti. Mi elli di farw o dorcalon. Mae'r tŷ wedi bod yn wag ers hynny. Does 'na ddim teulu i fynd i fyw ynddo. Does 'na neb ei isio fo. Mae'n rhy fawr, ti'n gweld. Trueni.'

Gofynnais am gael fy esgusodi, i fynd i'r tŷ bach. Rhuthrais i lawr y coridor, allan ar draws yr iard ac i'r capel. Roedd y plac efydd yn union lle dywedodd Cwci y byddai o, ond roedd o'n cael ei guddio gan fâs o flodau. Symudais y fâs naill ochr. Roedd yr ysgrifen ar y plac yn dweud:

Albert Andrews VC
Geni 1897. Marw 1968.
Cyn-ddisgybl o'r ysgol hon.
Fe drig y llew gyda'r oen.

Ceisiais ddatrys y dirgelwch drwy'r nos. Roedd Cwci yn anghywir. Mae'n rhaid ei fod o. Chysgais i 'run winc.

Glesyn Adonis

Y prynhawn wedyn ar ôl y wers chwaraeon, mi es i dros ben y ffens wrth waelod y parc, a rhedeg nerth fy nhraed trwy Bwlch Clawdd, croesi'r ffordd, ar hyd y wal a llithro trwy'r fynedfa haearn gyda'r llew carreg yn rhuo uwch fy mhen. Roedd hi'n bwrw cawod haf o law ysgafn.

Ceisiais guro ar y drws ffrynt. Doedd dim ateb. Dim ci yn cyfarth. Es i rownd i'r cefn a sbecian drwy ffenest y gegin. Roedd y barcud yn dal ar fwrdd y gegin, ond doedd dim golwg o'r hen wraig yn unman. Dechreuais ysgwyd y drws a churo'n uwch, dro ar ôl tro. Galwais 'Helô! Helô!' Doedd dim ateb. Curais ar y ffenest.

'Ydych chi yna? Ydych chi yna?'

'Rydyn ni gyd yma,' meddai llais y tu ôl i mi. Trois yn sydyn. Doedd 'na neb yno. Ro'n i ar fy mhen fy hun, ar fy mhen fy hun gyda'r llew gwyn ar ochr y bryn. Wedi dychmygu ro'n i.

Dringais i ben y bryn ac eistedd yn y borfa uwchben mwng gwyn y llew. Edrychais i lawr ar y tŷ mawr. Crawciai jac-y-dos uwchben. Tyfai rhedyn a gwellt o'r gwteri ac o gwmpas potiau'r simnai. Roedd pren dros rai o'r ffenestri. Roedd peipiau glaw yn hongian yn rhydd ac yn rhydu. Roedd y lle'n wag, yn hollol wag.

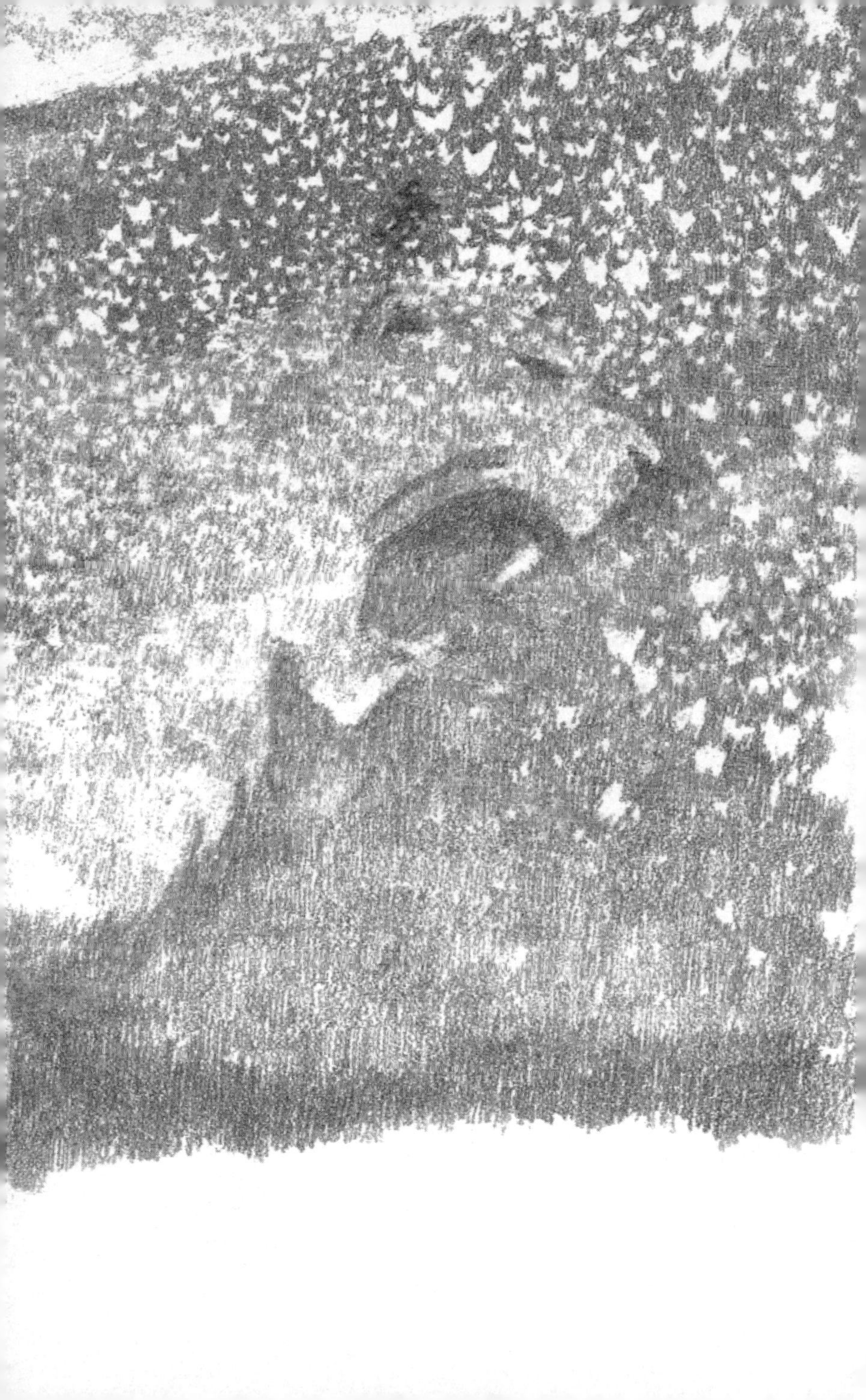

Peidiodd y glaw yn sydyn a daeth yr haul i gynhesu cefn fy ngwddw. Glaniodd y pilipala cyntaf ar fy mraich. Roedd o'n las.

'Gleision Adonis, gleision Adonis,' meddai'r llais eto, fel adlais yn fy mhen. Yna roedd yr awyr o'm cwmpas yn llawn pilipalod, ac roedden nhw'n setlo i yfed ar y sialc.

'Gleision Adonis, wyt ti'n cofio?' Yr un llais, llais go iawn, ei llais hi. A'r tro hwn ro'n i'n gwybod nad yn fy mhen i roedd o.

'Cadwa'r llew yn wyn i ni, dyna gariad. 'Dan ni ddim isio iddo gael ei anghofio, ti'n gweld. A meddwl amdanon ni weithiau, wnei di?'

'Mi wna i,' llefais. 'Mi wna i.'

Ac ar fy llw, mi deimlais i'r ddaear yn crynu o dan fy nhraed a chlywais sŵn rhuo llew yn y pellter.

michael morpurgo

RHAGOR O STRAEON GAN YR AWDUR ARBENNIG HWN YN Y GYMRAEG

Ceffyl Rhyfel

CeffylRhyfel

Michael Morpurgo

addasiad Casia Wiliam

ELIFFANT YN YR ARDD

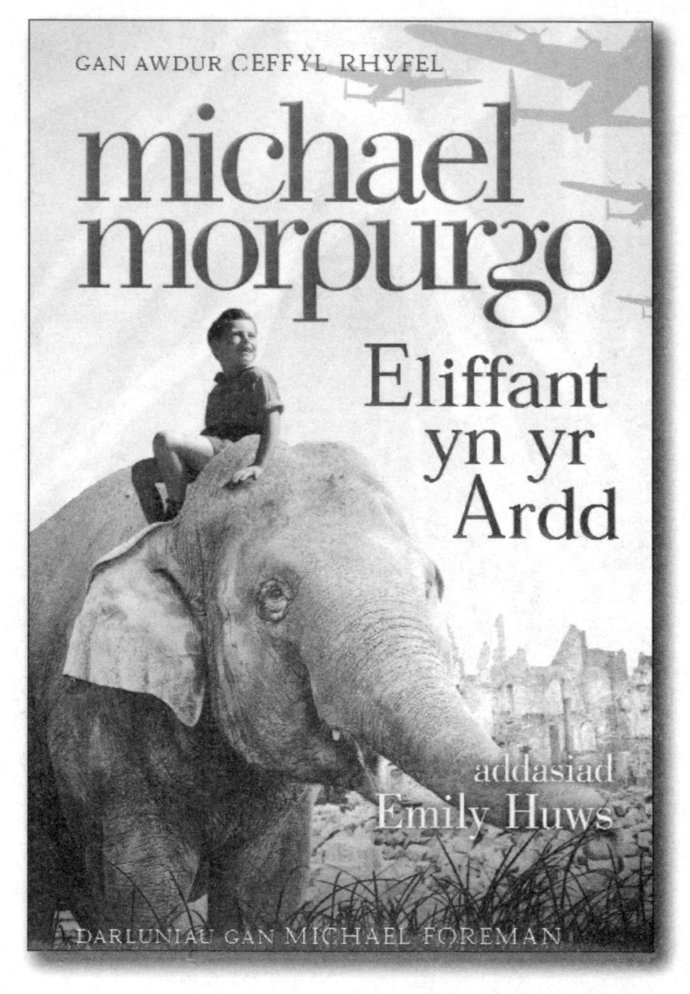

Llygaid Mistar Neb

Llygaid Mistar Neb

MICHAEL MORPURGO

Addasiad Emily Huws

Clywodd Harri'r allwedd yn troi yn y clo. Roedd o eisoes wedi penderfynu rhedeg i ffwrdd. Doedd dim arall i'w wneud bellach.

CHWEDLAU AESOP

Chwedlau Aesop

MICHAEL MORPURGO

Addasiad GARETH F. WILLIAMS

EMMA CHICHESTER CLARK